Logical

Communication

Skill

Training

ロジカル・シンキング

論理的な
思考と構成のスキル

照屋華子・岡田恵子 ――― 著

東洋経済新報社

| Logical Communication Skill Training | はじめに |

■── 変化するビジネス環境が求める
　　ロジカル・コミュニケーション

　企業を取り巻く環境は、ここ10年で大きく変化した。バブル経済がはじけ、これまで経験したこともない長い経済停滞が続いている。経済の低成長下で収益を上げるためにはどうしたらよいのか。かつてはおとなしかった株主のリターン追求に対するプレッシャーも増大している。大企業といえども安穏とはできず、血の滲むような経営努力が必要だ。これまで以上にシビアに事業を見直すことが必要になり、日本企業同士の合併、買収なども日常茶飯事になってきた。
　こうした変化に伴いビジネスにおけるコミュニケーションの領域でも、大きな変化が起きており、さまざまな業種のビジネスの前線にいる方々から、次のような問題意識を伺う機会がとても増えた。

　「ソリューション提案型営業には、私たちが顧客の課題をどう捉えているのか、それをシステムでどう解決できるかを、十分に説得できる力が不可欠」（コンピュータネットワーク関連業界）

　「顧客自身も、何が問題なのかはっきりとはわからないが、何かをしなければ、という危機意識が強い。顧客との議論の中から相手の問題意識を正確に読みとり、正しい答えを返す力が重要になっている」（サービス業）

「サプライヤーとも新しい関係を築かなければならない。今の状況はどうなっており、なぜ新しい考え方が必要なのか、その中で当社は何をしたいのか、そのためにサプライヤーにはどうしてほしいのか。これをきちんと理解してもらうことが非常に大事だ」（製造業）

「現場では人手不足のために仕事に追われ、コミュニケーションの機会が減ったせいか、通達等の情報が周知徹底されなくなってしまった。情報の発信源となる部門が今まで以上にポイントを明快にして伝える必要を感じている」（サービス業）

「業界再編の嵐の中で、他社と手を組むということが人ごとではなくなっている。これからは、いままでのようになぁなぁコミュニケーションで何とか仕事が進んでいく、などとは思えない。異なる背景や文化をもった人ともきちんと論理的に議論をして、自分の考えを正しく伝え、相手を説得できる力が必要」（金融業）

　どのようなビジネスもコミュニケーションなくしては成り立たない。ビジネスが変化すればコミュニケーションにも変化が求められるのは必然だろう。ビジネス上のコミュニケーションの相手は、顧客、取引先、提携相手、あるいは株主や消費者、そして上司、部下、同僚、関連部門等、さまざまだ。そうした多様な利害関係者に対して自分や組織の考えをわかりやすく伝えて納得してもらい、自分の思い通りに動いてもらう。これによって物事を先に進め、より早く確実に成果に結びつけることが、今まで以上に求められるようになっている。
　このようなニーズに応える有効な手立てが「ロジカル・コミュニケーション」だと、筆者は考えている。ロジカル・コミュニケーションとは言葉は少々厳めしいが、要は「論理的なメッセージを伝えることによって、相手を説得して、自分の思うような反応を相手から引き出す」ことだ。

■── 誰でも必ず「論理的な伝え手」になれる

　ロジカル・コミュニケーションの重要性には多くのビジネス・パーソンの方が気づいているのだが、残念なことにその大半の方が体系立った方法論を持たないために、具体的にどうしたら相手にわかりやすく伝えられるか、と暗中模索状態にあることだ。

　確かに自己流で何とかなる、という考え方もあろう。しかし、自己流では自分が習熟したテーマならうまくいくが、全く新しいテーマや課題に突き当たったとたんにお手上げになり、再現性がない。また、自分ではできても、部下を指導することは難しい。さらに、組織全体でコミュニケーションの共通言語があれば、さまざまな活動の生産性をぐんと引き上げることができるが、この点でも自己流アプローチの寄せ集めには限界がある。

　本書の狙いは、体系立った、しかもシンプルで実践的なロジカル・コミュニケーションの技術をご紹介することにある。

　筆者2名は、ロジカル・コミュニケーションのスペシャリストとして仕事をしている。その仕事の中心に経営コンサルティングの領域があるが、コンサルティングとは、クライアントの抱えるさまざまな課題に解決策を提言し、その実行を支援するものだ。したがって、クライアントにその直面する現状や、課題解決のための提言を論理的にきちんと説明して納得してもらい、実行を意思決定してもらう、というコミュニケーションは不可欠であり、極めて重要だ。

　こうしたコミュニケーションの過程で、筆者は、コンサルティング・チームのメッセージが、クライアントの視点に立ったときに本当にわかりやすく、論理的に筋の通った説得力のある構成になっているのかを検証する。つまり、伝え手のメッセージを、受け手にとってわかりやすく納得感のあるものにするために、「盛り込むべき要素に過不足はないか」「提示された情報で本当にこの結論が導かれるか」「結論とその他の要素をどう構成すればよいのか」といった観点からアドバイスや具体的な改善案を作っていく。本書では、こ

のような仕事を実践する中で培ってきた「ロジカル・コミュニケーションの技術」を紹介する。

　もちろん、この技術はコンサルティングや戦略立案などの特定領域だけで有効なものではない。例えば、顧客との商談や商品説明、あるいは朝礼での指示・報告・連絡など、日常業務のちょっとしたコミュニケーションにもすぐに活用でき、威力を発揮する。また、あえてこれを「技術」と呼ぶのは、これまでの経験から訓練を積めば誰でも身に付けられると確信するからだ。

　コミュニケーションというととかく「あの人の書くものには天性の冴えがある」「彼の話術は生まれ持った才能だ……」というように、センスや感性に巧拙の要因を求めがちだ。確かにそれも重要だが、ことビジネスにおけるコミュニケーションでは土台を築いた上で備わっていればなおよい、という類のものだ。その土台こそがロジカル・コミュニケーションなのだ。

■── 本書の構成と特徴

　本書は、次のような3部構成になっている。

　第1部では、論理的な伝え手になるための第一歩として、例えば、報告書を下書きするなど、コミュニケーションの具体的な準備に取り掛かる前に必ず確認したいポイントを解説する（第1章、2章）。

　第2部では、伝え手の頭の中や手元にあるさまざまな情報やデータを、「論理」を作る「部品」として整理するための「論理的に思考を整理する技術」を紹介する。MECE（第3章）とSo What?／Why So?（第4章）の2つの技術だ。

　そして第3部では、個々の「部品」を「論理」に組み立てるための「論理的に構成する技術」を扱う。「論理」の構造を定義し（第5章）、ビジネスの実践に役立つ2つの論理パターン、並列型と解説型（第6章）、そしてその活用のポイントを解説する（第7章）。

　MECE、So What?／Why So?という2つの「論理的に思考を整理する技

術」と、並列型と解説型という2つの「論理的に構成する技術」。この4つの技術を駆使して論理構成までできるようになれば、ロジカル・コミュニケーションの土台を築くことができる。あとは論理構成した中身を論理的に書く・話すことになる。この書く技術や話す技術ももちろん重要であり、これも機会があればぜひ紹介したいが、本書では土台の論理構成までに焦点を絞る。

読者がこの4つの技術をマスターし、使いこなせるよう、企業研修等での経験を踏まえ、本書では以下の工夫を心がけている。

第1に、読者が自分の仕事に重ね合わせて理解できるように、「確かにこのようなことがある」というような、日本のビジネスの場面に即した事例をできる限り多く盛り込んだ。

第2に、4つの技術を実際に使ってみる手がかりとして、第3章、第4章、第6章、第7章の最後に「集中トレーニング」を設けている。この中には、解き方の解説と解答例を示した例題と、解き方のヒントをつけた豊富な練習問題が載録してあるので、挑戦してもらいたい。

最後に、最も望ましいのは第1章から読み進めることだが、関心や必要性が高い部分を選んで読み始めても理解できるよう、重要な点は各章で繰り返し解説をしてある。

ビジネスの環境が大きく変化する中で、たくさんのビジネスパーソンの方々が自己の能力開発に高い関心を持っている。あらゆるビジネスに必須の、ロジカル・コミュニケーションの技術を習得してもらいたい。その際のよき案内役として本書がお役に立てば、筆者としてこれ以上の喜びはない。

ロジカル・シンキング
――論理的な思考と構成のスキル――

もくじ

はじめに —————————————————— 1

第1部　書いたり話したりする前に

第1章　相手に「伝える」ということ　　13

1　「自分しか見えない病」
　　「にわか読心術師症候群」にかかっていないか？ ———— 13
2　相手に伝えるべきメッセージとは ————————— 15
　　確認1：課題（テーマ）を確認する　16
　　確認2：相手に期待する反応を確認する　18
3　何を言えば「答え」になるのか ————————— 22

4 なぜ、相手に自分の「答え」が通じないのか ——— 23
「結論」が伝わらないときの2つの落とし穴　24
根拠が伝わらないときの3つの落とし穴　28
方法が伝わらないときの2つの落とし穴　34

感度チェック ……………………………………………………… 40

第2章　説得力のない「答え」に共通する欠陥　45

1 話の明らかな重複・漏れ・ずれ ——— 45
話の重複は「私の頭の中は混乱中」のサイン　45
話の漏れは、「一点突破、全面崩壊」につながる　47
話のずれが、そもそもの目的やテーマからの脱線を招く　48
2 話の飛び ——— 51

第2部　論理的に思考を整理する技術

第3章　重複・漏れ・ずれを防ぐ　57

1 MECE——話の重複・漏れ・ずれをなくす技術 ——— 57
MECEとは？　58
たくさんのMECEのポケットを作ろう　63
知っておくと便利なMECEのフレームワーク　65
2 グルーピング——MECEを活かした情報の整理 ——— 71

グルーピングとは
漏れ・重複・ずれのない部分集合を作ること　72

集中トレーニング 1 75
1　MECE に強くなろう ———————————————— 75
2　グルーピングに強くなろう ——————————————— 82

第 4 章　話の飛びをなくす　89

1　So What? /Why So? ——話の飛びをなくす技術—— 89
　So What? /Why So? する習慣をつける　93
2　2種類の So What? /Why So? ———————————— 94
　「観察」の So What? /Why So?　95
　「洞察」の So What? /Why So?　99
　洞察の So What? は観察の So What? なくしてならず　102

集中トレーニング 2 104
1　「観察」の So What? /Why So? に強くなろう ——— 104
2　間違った「観察」の So What? /Why So? に
　　気づけるようになろう ——————————————— 109
3　「洞察」の So What? /Why So? に強くなろう ——— 114

第3部 論理的に構成する技術

第5章 So What?／Why So? とMECEで「論理」を作る　121

1 論理とは？　121
縦の法則 So What?／Why So?　122
横の法則 MECE　123
論理の基本構造　124

2 論理はコンパクトなほどよい　134
縦方向にどこまで階層化するのか？　134
横方向には、いくつに、どのように分解するのか？　136

第6章 論理パターンをマスターする　141

1 並列型　141
並列型の構造　141
使用上の留意点　145
適用ケース　148

2 解説型　148
解説型の構造　148
使用上の留意点　154
適用ケース　157

集中トレーニング3　160
1 論理パターンの基本をマスターしよう　160
2 非論理的なものを見抜く力をつけよう　166

第7章　論理パターンを使いこなす　175

1　論理パターンはこう使う ───── 175
　1つの課題に答えるとき　175
　2つの課題に同時に答えるとき　178

2　論理FAQ ───── 194

集中トレーニング 4 ·················· 206
　① 情報を論理パターンでわかりやすく構成しよう ─── 206
　② 図表を使って論理的に説明しよう ─── 213
　③ 相手を納得させる論理構成の力をつけよう ─── 217

　おわりに ─── 225

装丁　株式会社ライブ

第1部

書いたり話したりする前に

コミュニケーションとは、相手と「メッセージ」のキャッチボールをすることだ。では、その「メッセージ」とは何だろうか。そして、「メッセージ」に必ず求められる構成要素とは何だろうか。

　この２つの問いに、あなたは自信を持って答えることができるだろうか。もし、「メッセージ」とは自分の言いたいことの要約、あるいは自分が伝えたいことのエッセンスだ、と考えたり、「メッセージ」の内容はその時々で千差万別になるのだから、構成要素を特定することなどできない、と思った人は、ぜひこの第１部を読んでもらいたい。

　自分では論理的に話すこと、書くことを心がけているのに、自分の考えが思うように相手に伝わらない、と悩んでいるビジネス・パーソンは少なくない。こうした方々に筆者はいつも、同じアドバイスを繰り返している。

　「人に何かを伝えるときには、自分の言いたいことをどうまとめようか、どう話そうか、どう書こうか、などと考える前に、必ず課題（テーマ）と相手に期待する反応を確認しよう」と。

　自分の考えを整理したり論理構成する前に、この２つの確認をすることが、論理的な伝え手になるための第一歩だ。第１部では、このポイントを「相手に伝える」とはどういうことかをひもときながら解説しよう。

第1章 相手に「伝える」ということ

1 「自分しか見えない病」「にわか読心術師症候群」にかかっていないか？

　相手に自分の考えを伝え、相手に「うん」と言ってもらう、あるいは相手から何らかのアドバイスをもらい、自分の考えをさらに練りあげていく——業種や職種を問わず、仕事は人とのコミュニケーションすなわち情報や考え、提案をやりとりすることの連続だ。電子メールなどの情報通信技術の革新によって、情報が相手の手元に届くまでのスピードは圧倒的に速まっている。

　しかし、問題は、あなたの考えや提案が相手の手元に届いた後なのだ。相手がそれらを読んだり聞いたりした後に、あなたの考えや提案が相手の頭の中に正しくインプットされ、思考回路の中で正しく理解されるまでの時間、そしてあなたが望む反応が出てくるまでの時間——これをいかに短縮できるかがビジネスの世界では勝負になる。この部分は、さしもの情報通信技術でもいかんともしがたい。伝える人のスキルにかかっているからだ。

　すると、自分の言いたいこと、自分が重要だと考えていることを相手に理解してもらうためにはどうすればいいのだろうかと悩んでしまう。そして自分の言いたいことをうまくまとめるために、提案書や報告書を何度も書き直す、あるいは、言い回しやフォーマット、はたまたデザインや色使いなどに凝る、ということに走りがちだ。

　実は、ここに相手に伝わらない最大の要因が潜んでいる。大事なことは「あなた」が言いたいことではない。「あなた」が大切だと思っていることで

もない。それが、相手にとって、伝えられることが期待されている「メッセージ」になっているかどうかなのだ。

　コンサルタントと話をしていると、よく「プロジェクトチームとして次回のミーティングでクライアントに言うべき内容がまとまらない」という話が出る。もし５人のチームであれば、言いたいと思うこと、すなわち伝える側の「思いの丈」は、五人五様であろう。しかし、極論すれば、ビジネスにおいて、伝え手の「思いの丈」など、受け手にとってはどうでもいいことなのだ。

　ここで、「そうか、自分ではなく相手のことを考えなければならないのか。そういえば、相手のことを考えなさい、と物心ついた頃から言われ続けたな」と気づけば立派なもの。しかし、相手について考えるとき、往々にして次のような落とし穴に陥りがちだ。

　「午後は山田部長と打ち合わせだ。部長は英語がきらいだ。カタカナ表記を極力なくさなければ。お天気屋の部長には機嫌の悪いときに難しい案件の話は御法度だ。今日の様子を午前中に会議のあった総務部に聞いておこう」

　確かに相手のことを考えてはいる。しかし、問題は、伝え手が相手である山田部長のことを考えるうちに、部長との打ち合わせのゴールを、無意識に「とりあえず部長のご機嫌を損ねることなく打ち合わせを終わらせること」にしてしまっていることだ。おそらくこの打ち合わせで、この施策をやろうとか、止めよう、といった事業上の大きな意思決定がなされることはないだろう。継続検討や様子見、といった無難な線で収まるはずだ。しかし、そんな打ち合わせを繰り返したところで、物事は何も進まない。そもそもそのような打ち合わせをする必要があったのか、ということになってしまう。

　悲しいかな私たちは心理学者でも読心術師でもない。自分以外の人間の気分や好みを100％把握することは、しょせん無理だ。それどころか、「にわか読心術師」になりすまして相手によって表現やニュアンスを変えているうちに、いつの間にか中身までもが少しずつ変わってしまい、蓋を開けると「あっちとこっちで言っていることが違う」という事態になりかねない。こ

れではビジネスの"いろは"ができていないことになってしまう。

コミュニケーション・スペシャリストという仕事でさまざまな業界のいろいろな企業におじゃましてみると、伝える中身以前に、この「自分しか見えない病」や「にわか読心術師症候群」に陥っているビジネスマンの何と多いことか。

自分の考えを論理的に伝える第一歩。それは逆説的だが、「いきなり伝える中身について考えない」ことだ。

2 相手に伝えるべきメッセージとは

「私が申し上げたいことは」という口上から話し始める人がよくいる。しかし、大事なことは「私が申し上げたいこと」ではなく「私がいま答えるべき課題（テーマ）について相手に伝えるべきメッセージ」であることは前述の通りだ。

では、メッセージとは何か。メッセージとは、次の３つの要件を満たしているものだ。まず、そのコミュニケーションにおいて答えるべき課題（テーマ）が明快であること。第２に、その課題やテーマに対して必要な要素を満たした答えがあること。そして第３に、そのコミュニケーションの後に、相手にどのように反応してもらいたいのか、つまり相手に期待する反応が明らかであることだ。

「課題」「答え」「相手に期待する反応」の３点セットが、本書で定義するメッセージである。「私が申し上げたいこと」は、３点セットの「答え」の部分にすぎない。これは裏返せば、自分がある文書を手にしたとき、あるいは人の話を聞いたとき、課題はこれで、それに対する相手の答えはこれで、自分にこれをして欲しいと言っているのだな、ということが自分の頭に明快に残るかどうか。これらをクリアしてはじめてメッセージと言える。

「自分しか見えない病」や「にわか読心術師症候群」に陥らないためには、

図1-1 ❖ 話す前、書く前の2つの確認

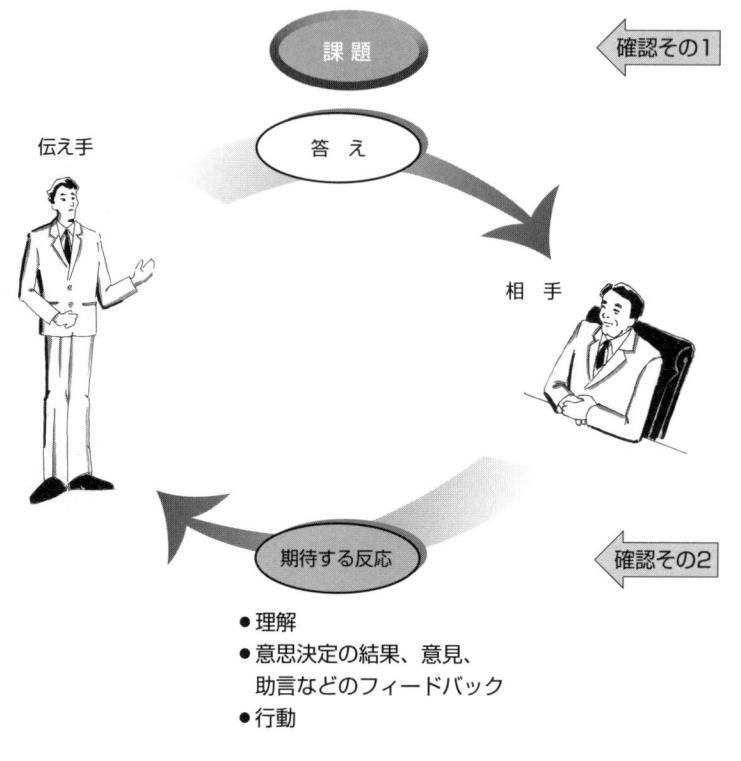

常にこのメッセージの定義に戻り、①課題（テーマ）を確認する、②相手に期待する反応を確認する、という2つの確認作業をすることだ（図1-1）。

◆──確認1：課題（テーマ）を確認する

まず、そのコミュニケーションにおいて自分が相手に答えるべき課題は何なのか、を確認することだ。それは10分間の説明でも、1時間の商談でも、報告書や提案書、企画書を作るのでも同じこと。「自分がいま、相手に答え

るべき『課題（テーマ）』は何だろう」と自問自答してみよう。あなたの考えがどんなに素晴らしいものであっても、「課題（テーマ）」がずれていては、相手の検討の俎上にのることすらできない。それが上司や本社から与えられた課題であっても、自ら設定した課題であっても同様だ。

　ビジネスの現場で、そもそも課題をまったく誤って認識していた、ということはまれだろう。誰しも最初は正しい課題認識のもとに検討を進める。しかし、検討を進めるうちに、気になる発見やそれまで見えていなかった課題などが出てくると、そちらに注意が奪われ、いつの間にか自分の頭の中で課題のすり替えが起こってしまう。検討に熱が入れば入るほど、これは自然な成り行きだ。

　例えば「案件Ａの事業化に取り組むべきか」という課題について検討していたとしよう。すると、案件Ａは事業化どころか、すでに事業化の前提となる既存の販売網に重大な問題があることが明らかになった。しかも事態は急を要する。すると、事の重要性ゆえに、いつの間にかあなたにとっての課題は「既存の販売網が抱える重大課題をいかに解決すべきか」にすり替わってしまう。たとえこの問題意識自体は正しく、案件Ａよりも既存の販売網について優先的に議論すべきであったとしても、案件Ａの事業化について議論すべく集まったメンバーに、いきなり「今日は事の重要性に鑑み、既存の販売網の現状と課題について議論します」とぶちあげたらどうだろう。課題が変わったこと、なぜそうする必要があったのかを明示しなければ、あなたの望む議論は始まらないだろう。課題が"あさって"では、せっかくの提言も"あさって"なものになってしまう。

　文書を書く前、人に説明を始める前に、「今日の課題（テーマ）は何だったっけ？」「これから説明するのは〇〇という課題（テーマ）についてだな」と課題を確認することを習慣づけてもらいたい。いくら自分が「これは重要です！」と力んでみても、相手がその課題を「いま検討するべき課題」と認識していなければ、議論の土俵にすら登れない。

　昨今はやりの提案営業の難しさは、まさにここにある。引き合い営業の場

第1章　相手に「伝える」ということ

合、顧客自身が何か不便を感じていたり、何かを改善するために商品やサービスを注文するので、誰よりも顧客自身が課題を明快に認識している。ところが、提案営業は、言ってみれば提案をする側が勝手に「これがお宅の課題です」と考え、その課題への解決策として自社の商品なりサービスなりを提案するわけだ。顧客の側が、たとえ潜在的であっても提案者と同じように問題を認識してくれれば御の字だ。しかし、まったく問題意識のない顧客の場合、商品やサービスを提案する以前に、なぜそれが必要なのか、どういう問題があるのかを認識してもらうこと、言い換えれば、商品やサービスの必然性を示すために顧客がいまどのような課題に直面しているか、について共通認識を作ることが大前提となる。ここに思いを至らせることなくサービスや商品をいくら勧めても、色好い答えが返ってくることは期待薄だ。

「自分しか見えない病」にかかっている人は「私がいま言いたいこと、言うべきことは何だろう」と考える。まずはこれを改めよう。正しいアプローチは「自分がいま、相手に答えるべき『課題（テーマ）』は何だろう」と自問自答することだ。すると自然に、「その『課題（テーマ）』に対する自分の答えは何だろう」という問いに行き着くのだが、その前にもう1つ、確認すべきことがある。

◆── 確認2：相手に期待する反応を確認する

　会議を持つとき、文書を作るとき、それによって相手にどのようにしてもらいたいのか、どんな反応を引き出したいのか、という期待成果のないコミュニケーションは「独白」でしかない。そして昨今、「独白」につきあう暇のある企業も人も少ないのではあるまいか。

　ビジネスにおいて、相手に何かを伝えるという行為自体が目的となるケースはわずかだろう。伝えることによって相手に理解してもらったり、相手のニーズや意見を引き出したり、あるいは相手に何かのアクションをとってもらうなど、相手に何らかの「反応」をとってもらうことが最終目的であるは

ずだ。伝えることは手段であり目的ではない。

　例えば、上司と30分のミーティングをするとしよう。自分が説明する事柄で頭が一杯でミーティングに臨む人と、30分後に上司が席を立つときに、「あなたの言ったA、B、Cという選択肢の中では、私はBがよいと思う。次にはコスト分析と関係部門へのヒアリングをやってみたらどうか」という上司自身の考えや指示を引き出そう、と考えてミーティングに臨む人とでは、ミーティングの成果は大きく異なるはずだ。また、顧客に15分間でサービスの説明をするとしよう。これまた、とにかく15分で説明しよう、と考える人と、15分後に顧客から「では、うちの会社だったら具体的にどんなサービスをどのように提供してくれるのか？」という質問を引き出せれば成功だ、と考えながら説明に臨む人とでは、説明の中身自体も変わってこよう。

　コミュニケーションの後に、相手からどのような反応を引き出せれば、そのコミュニケーションは成功と言えるのか。この質問にあらかじめ答えを用意しておくことは、「自分しか見えない病」予防の処方箋でもある。

　こう言うと、営業に携わっている方の中には、「営業活動の目的は常に、売上を上げることであり、顧客に期待する反応などいちいち考えるまでもない」と思われるかもしれない。しかし、1回目の営業活動で受注に至ることはまれだろう。そこで、あらかじめプランを練る。

　例えば、まず1回目の訪問では、自分と自分の会社、商品を知ってもらうことを目標とする。「へえ、××株式会社がこんな商品を出したのか。なかなか面白い商品だ」と商品に関心を持ってもらう。

　そして、2回目の訪問時には、当社の新商品は従来からある他社の商品と何が違うのか、その顧客にとってこの新商品を使うことでどのような便益があるのかを理解してもらう。新商品の競合優位性を知ってもらい、自分にとってのベネフィットを理解してもらうことが目的だ。顧客はその商品を使うイメージをぐっと具体的に持つことができるだろう。

　そして、3回目で強力に動機づける。期間限定のお得なプランを用意したり、実際にその商品を使っている顧客の声を聞かせたりして、「それなら使

ってみようか」の一言を引き出す。

　営業マンであれば、誰しもこの手の営業の計画を練るはずだ。3回の営業活動の最終目的自体は「買ってもらう」ということであっても、それぞれのコミュニケーションで顧客から引き出したい反応を事前に考えておけば、情報を詰め込みすぎて顧客を消化不良にしたり、顧客から押し売りと思われたり、という事態を避けることもできる。また、うまくいかなかったときの軌道修正も容易だ。逆に言えば、どのような相手にもどのような状況にも同じセールストークを呪文のように唱える人には、「このコミュニケーションで顧客からどういう反応を引き出したいのか」という発想がないことが多い。

　ビジネスにおいて相手に期待する反応は、次の3つで捉えればよいだろう（図1-2）。

（1）相手に「理解」してもらう

　伝える内容を相手に正しく理解してもらった上で、知っておいてもらいたい場合。業務連絡、事務連絡などは、ほぼこのケースにあてはまる。

（2）相手に「意見や助言、判断などをフィードバック」してもらう

　伝える内容を相手に正しく理解してもらった上で、相手がその内容についてどのように考えるのか、賛成なのか反対なのか、何か抜けている点はないのかなど、相手から判断や助言、感想などを投げ返してもらいたい場合。ヒアリングやテスト・マーケティングで顧客のニーズを引き出す場合などがこれにあたる。社内での会議や報告などでも該当するものは多いだろう。

（3）相手に「行動」してもらう

　伝える内容を相手に正しく理解してもらった上で、相手に実際になんらかの行動をしてもらいたい場合。商品やサービスの拡販のため、販売代理店などの第3者に対して、拡販施策の説明、キャンペーンへの参加依頼などを実施してもらう場合や、相手自身にアンケートに答えてもらう場合などがこのケースにあてはまる。

図1-2 ❖ 相手に期待する反応

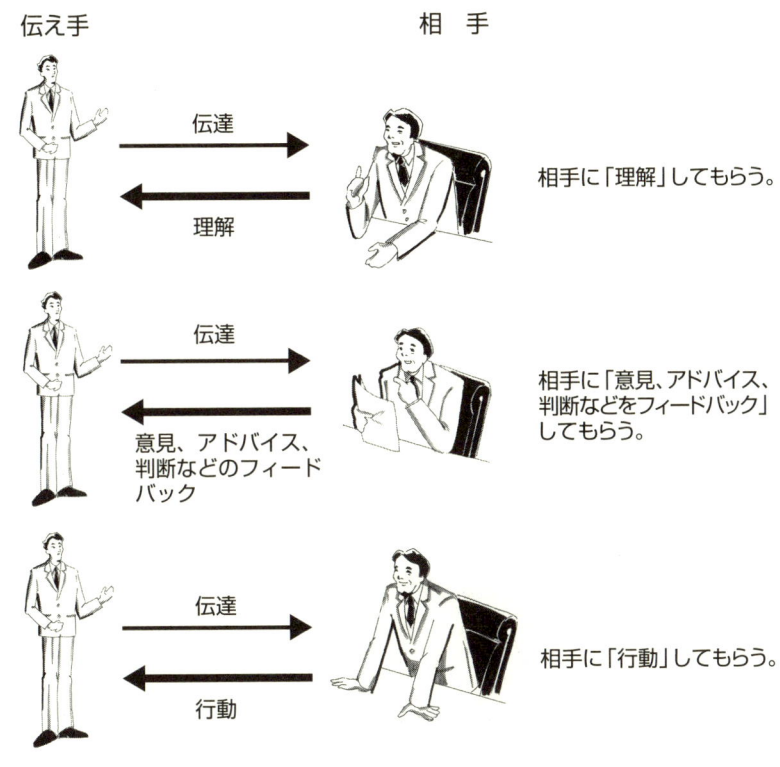

　同じ課題であっても、自分の伝える内容を相手に「理解」してもらえればよいのか、それとも自分の考えに対して相手の意見や考え、ニーズなどの「フィードバック」が欲しいのか、それとも購入や拡販といった「アクション（実行）」をとって欲しいのか、というように、相手に期待する反応を確認することによって、答えとして伝えるべき深さや広がりが異なることは容易に想像できるだろう。

3 何を言えば「答え」になるのか

自分がこれからとろうとしているコミュニケーションにおいて相手に答えるべき「課題（テーマ）」が確認され、そのコミュニケーションの結果、相手にどのような「反応」を期待するのかを確認してはじめて、答えの中身を考える段階になる。

課題に対する答えをまとめる際、たくさんの情報や要素を前に毎回最初から呻吟している人をよく見かける。確かに仕事の中で答えるべき課題はさまざまで、その答えの内容自体も千差万別だ。実際、筆者が仕事で接する企業やビジネスマンは業種も、また直面している課題も多岐にわたっている。しかも、筆者自身はその企業の人間でも、また直接その事業そのものに触れているわけでもない。にもかかわらず、どうして人の書いた原稿を読み、「ここはどうも変だ」「こうしたらよいのではないか」と考えることができる

図1-3 ❖ 答えの要素

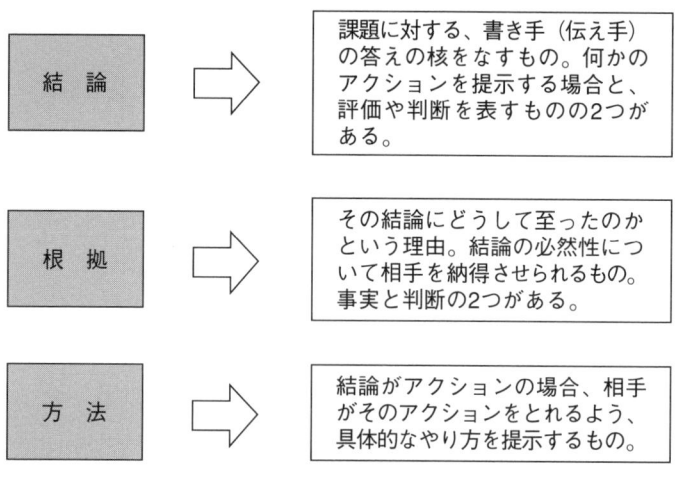

かと言えば、いつも次の質問を自問自答しているからに他ならない。

・課題に対して、伝え手が、どのようなアクションをとるべきだと言っているのか？　イエスなのかノーなのか？　あるいはどのような意見を持っているのか、がクリアに頭に残るか？
・その結論に至った根拠に納得感があるか？
・結論がアクションの場合、具体的なやり方が示されているか？　自分がそのアクションについて部下に指示を出す場面を想定したとき、指示の中身が具体的にイメージできるか？

　これらの質問にイエスと答えられるかどうかが、課題に対する答えの要素があるかないかのチェックポイントだ。
　ビジネスにおいて課題の答えとして備えるべき要素は、課題によって異なるものではない。答えの要素はたった3つだ。それは、「私の答えを一言で申し上げれば、要するに……」といって説明する答えの核の部分である「結論」、そしてなぜその結論なのか、結論の妥当性を説明する「根拠」、さらにその結論がアクションである場合には、それをどうやって実行するのかを説明する「方法」だ（図1−3）。

4　なぜ、相手に自分の「答え」が通じないのか

　結論、根拠、方法。ビジネス・パーソンであれば、表現は違っても日頃から耳にする言葉だろうし、答えの要素としてこの3つを用意するなど当たり前ではないかと思われるだろう。そう、当たり前のことだ。しかし、問題は、あなたが考えている結論が相手にとっても同様に明快なものか、あなたの考えている根拠が相手を納得させるのに十分か、そして、あなたの考えている方法で本当に相手が動くことができるのか、ということなのだ。あくまで相

手にとって3つの要素が明快でなければ意味がない。

　人間誰しも自分が考えたことを完全に客観的に眺めることはできない。しかし、チェックポイントはいくつかある。このチェックポイントは、自分が伝え手だったときに自分の答えの要素をチェックするヒントになり、また、自分が受け手で、相手の話が理解できないときに、なぜわからないのか、どこがわからないのかを分析するヒントにもなる。

◆───「結論」が伝わらないときの2つの落とし穴

**落とし穴1　結論は「課題の答えの要約」であって、
　　　　　　「自分の言いたいことの要約」ではない。**

　図1-4を見てみよう。これは、アパレル・メーカーA社が「当社は製造小売業という業態に、新規参入すべきかどうか」という命題に対する答えを見いだすべく、社長直轄のプロジェクト・チームを立ち上げ、3ヶ月にわたって行われたプロジェクトの成果を、社長に報告するためにまとめたレポートだ。あなたが社長だったら、これを読んでどう思うだろうか。

　確かにチームの努力の跡がうかがえる詳細な分析データが並んでいる。しかし、書き手の検討や逡巡の軌跡を瞬間にして見抜く神通力のある社長でない限り、この結論を見た社長の反応は次のようなものだろう。「で、要するに、やるの、やらないの？」

　「要するに、どっちなの？」という発言が相手から出てしまっては、残念ながらこのコミュニケーションは失敗と言わざるをえない。

　読み手の立場に立つと、どうしてこんなことが、と思われるだろうが、実際に書き手になってみると、この手のことは容易に起こり得る。別に、課題を間違えて検討を始めたわけではない。しかし、検討の途中でいろいろな発見があり、気になることもたくさんあると、伝えたいことが次々出てくる。書き手はさまざまな情報を得て、思考を深め、検討を開始した時点よりそれ

図1-4 ❖ A社はSPA（製造小売業）事業に参入すべきか

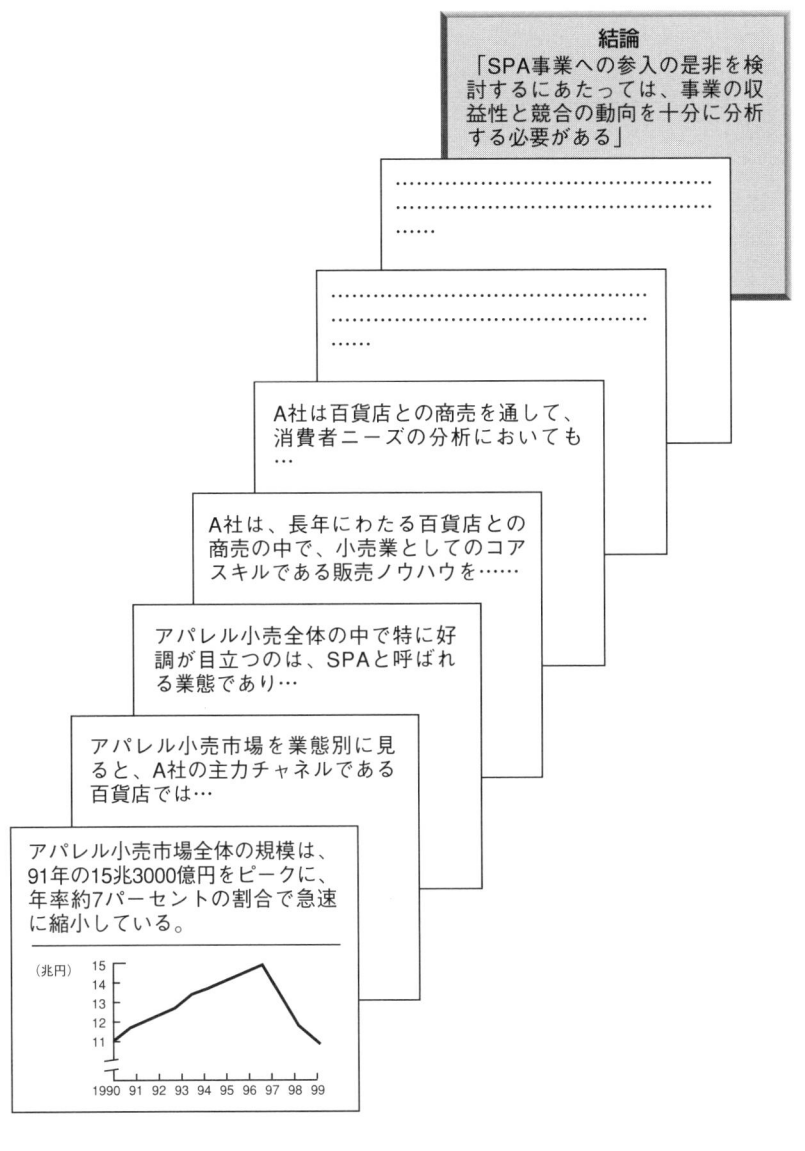

第1章 相手に「伝える」ということ

当初に設定した課題の「答え」ではないことを伝えたいとき

　コミュニケーションでは、「相手から聞かれたことに答える」ことが大原則だ。しかし次の場合にはどうすべきだろうか。

　顧客からは納品のタイミングについて相談を受けている。ところが、顧客の物流システムについて調べてみると、在庫管理のシステム自体を見直さなければ、納品のタイミングを手直ししたところで、しょせん対症療法でしかないことが明らかになった。

　この場合、まずは相手から聞かれたことに答え、その上で「物流全体として大きな改善を望むのであれば、僭越ながら……」と言って自分の提案をするのが常道だろう。顧客の問いに答えることで顧客は所期の目的を達成し、あなたの提案はさらなる効果を生むためのものとして前向きに受けとられる。

　では、次の場合はどうだろう。顧客から納品のタイミングについて相談を受けている。しかし、調べてみると、原材料の納入のタイミングから見直さないと、お客様への納品の改善は難しく、よって顧客だけでなく原材料業者も巻き込んだ大々的なプロジェクトを立ち上げる必要があることが明らかになった。

　このような場合が難しい。「お客様への納品のタイミングを改善するために当社は何をすべきか」という課題への率直な答えは、「御社内での改善では効果は限定的。納品のタイミングを本気で改善するのなら、原材料の納入業者も巻き込んで仕入れのタイミングから見直すべきである」というものだ。しかし、顧客はこのような答えが返ってくることは予想だにしていないし、やる気もあるとは思いがたい。よって、この答えをそのまま伝えても効果は期待薄だ。

　さりとて、やってもやらなくてもそれほど変わりのない小手先の社内改善を提案することは、職業倫理にもとる。

　与えられた課題のままでは答えがない、と分かった時点で、できるだけ早く、なぜその課題には答えられないのかを説明し、課題を設定し直すことが大切だ。この場合であれば、設定し直した課題は、「お客様への納品のタイミングを抜本的に改善するには、社内外を含め、業務全体をどのように改革すべきか」ということになる。

　課題の再設定にはタイミングが重要だ。明日が説明会、という段階になって「実は課題自体が……」と言い出すようでは、取り組み姿勢が疑われる。

　どのようなときにも、課題と答えが整合していること。これがロジカル・コミュニケーションの基本である。

だけ進化しているわけだ。

　しかし、コミュニケーションの相手である社長はどうだろう。報告会に臨む社長は、自分なりの結論や、それなりの懸念事項を持っているにせよ、自分の出した課題にどんな答えが返ってくるのか聞きたいと思っているだろう。すなわち、SPA事業に参入すべきか否か、の答えを待っているのだ。

　これが結論だ、と思ったら、もう一度課題を確認して欲しい。自分の結論が自分の言いたいことの要約になっていないか、本当に答えるべき課題に対する答えの核になっているのか、ということを。いかなるコミュニケーションにおいても、課題と答え、答えの核となる結論は整合していなければならない。

落とし穴2　「状況に応じて」「場合によっては」に要注意。
　　　　　　付帯条件は同床異夢の温床。

　相手に結論が明確に伝わる、という点で留意すべきなのは、どうにでも解釈できるような曖昧さを排除する、ということだ。
　こんな相談を受けたことがある。某旅行代理店の支店長A氏は、「マネージャーたちを集めて行う朝礼で、全員に同じことを伝えるのだが、自分の指示が直ちに実行される部署もあれば、丸1日、2日と時間が経っても何の変化も起こらない部署もある。いったいこの差は何なのか」と悩んでいた。しかも、指示した内容が直ちに実行される部署と、そうでない部署は、常に固定的であると言う。確実に指示が実行される部署のマネージャーは、A氏が同支店の支店長になる以前から、他部門で上司・部下の関係にあったB氏である、とのこと。実際、朝礼に同席してみると、A氏の話は、「状況に応じた臨機応変な対応」のオンパレードだった。A氏が「今週はゴールデンウィークの予約が最も込み合う週ですが、顧客への予約確認は、状況によっては……」と言ったときに、長年コンビを組んだB氏には「状況によっては」とは、実はこういうことなのだ、という具体的なレベルまでA氏の意図を読み

込むことができたのだろう。しかし、A氏との接点の少ないマネージャーにそれを期待するのは無理というものだ。指示が徹底されない原因は担当マネージャーの理解力にあるのではなく、A氏自身の指示の曖昧さにあったのだ。社内においてもこのようなことは頻発する。まして外部に対してはなおさらだ。

　状況によって、場合に応じて、といった付帯条件を表す言葉が、あなたの口をついて出たときは要注意だ。そのときはぜひ、自問自答していただきたい。状況に応じてというが、どういう状況のときにどうするのか、場合によってはというのは具体的にどういう場合にどうするのか、と。

　そして、付帯条件をきちんと説明できるようにしてから、その説明の中身を相手に伝えてもらいたい。例えば、「状況によっては」ではなく「製品Aの売上が前年比105％を上回ったら」と、また「地域によっては」ではなく「代理店カバレッジが40％以下の地域は」というように、条件の中身をきちんと明示することである。付帯条件は、このように定量化するだけではなく、「顧客から、店頭での入金処理のスピードについて要望が出た場合には‥‥‥の検討を始める」というように、定性的な中身を具体的に伝えることによっても、明確にすることもできる（図1−5）。

　もし、説明に詰まったら、それは残念ながら、問題がきちんと解けていない、ということだ。表現やコミュニケーションの問題ではない。付帯条件をなくすだけで、結論はぐっと明快になる。

◆── 根拠が伝わらないときの3つの落とし穴

　いくら結論が課題に対する正しい答えになっていても、なぜそういう結論に至ったのか、なぜそれで正しいと言えるのかを説明できなければ、相手を納得させることができないことは、言うまでもないだろう。ところが、この根拠がくせ者だ。大抵の伝え手は根拠を伝えたつもりになっている。しかし、受け手から見たとき、それではとうてい理由にならない、という状態が散見

図1-5 ❖ 同床異夢の温床の排除

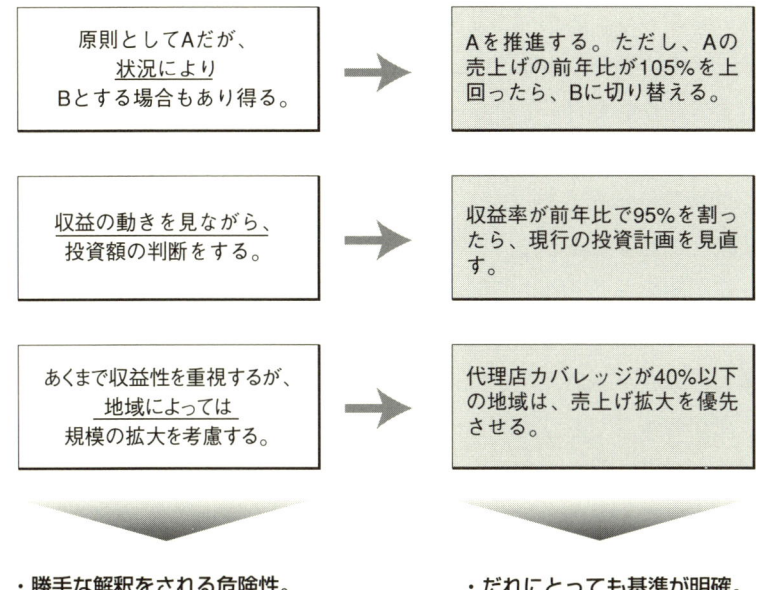

される。しょせん、伝え手と受け手とで情報量や理解度が違うから仕方ない、と言ってしまっては、コミュニケーションなど成立しない。そもそも情報量も理解度も同程度の相手なら、伝える必要性自体がないではないか。相手から見てこれで根拠に足るかどうかを完璧に判断することは難しい。しかし、以下の3点を留意するだけでも、その精度はぐんと高まる。

落とし穴 1 「Aが必要だ、なぜならAがないからだ」
では相手は納得しない。

「当社の収益性を強化するためには、営業力の強化が緊急課題だ。なぜならば当社の営業力は非常に弱体だからだ」と言われて、なるほどと思える人が何人いるだろう。また「当社は新商品を開発するべきだ。なぜならばここ3年間、新商品が出ていないからだ」と言われたらどうだろう。

これではAが必要だ、なぜならAがないからだ、あるいはAが弱いからだ、というコインの裏返しになっている。こうしたケースは実際のコミュニケーションでは驚くほど多い（図1－6参照）。前の2つの例がこの典型だ。「Aが必要だ、なぜならAがないからだ」というのは根拠にならない。大事なことは、その現象を引き起こしている数ある原因の中から、なぜそれを選んだのかをきちんと説明することだ。

営業力の強化が緊急課題というのであれば、営業力の弱体が収益性にどのように悪影響をもたらしているのか、他にもあるであろう収益性悪化の原因の中で、なぜとりわけ営業力強化が重要なのか、を説明しなければ、根拠を示したことにはならない。新商品開発についても、「それなら新商品を出しさえすればいいのか？」と嫌みの1つも言いたくなる。新商品の位置づけや狙いがきちんと説明されなければ、とても莫大な商品開発の投資などする気にはなれないだろう。

落とし穴2　「それは事実ですか？　それともあなたの判断、仮説ですか？」と思わせた途端に、信憑性は半減する。

「なぜ？」と聞かれたとき、その理由として示すことのできるものには2種類ある。1つは、客観的な事実としての根拠であり、もう1つは、判断・仮説としての根拠だ。これは、どちらが優れていてどちらが劣っている、というものではない。しかし、往々にして、伝え手は客観的な事実の方が自分の判断や仮説よりも確かなものであり、相手にとっても説得力があるだろう、と思いがちだ。

すると、相手から見たときに、それは事実なのか、それとも伝え手の判断

図1-6 ❖ 根拠がなければわからない

や仮説なのかがわからない言い方をしてしまう。また、自分の判断や考えに自信がないときも、それが自分の判断であるという主体をぼかしたい、という心理が働き、事実なのか判断なのかを曖昧にしがちだ。

　例えば、「当社の商品の不振の原因は、時代の空気をうまく捉えられていないからだ」と言われたとしよう。そもそも時代の空気なるものが何かを定義しなければ話は始まらないが、そこは百歩譲って何らかの定義がされたとしても、うまく捉えられていない、というのは事実なのか、それとも伝え手の判断なのか定かでない（図1-7参照）。

　もし、事実であるとすれば、具体的にどのような現象を指しているのかを示すべきだし、伝え手の判断であるのなら、なぜどういうところに着目してそう思ったのかを示さなければ、根拠を明快に説明したことにはならない。ちなみに、「客観的な事実としての根拠」とは、例えば、数字がこういうものであり、相手が、「いや、そんなことはないはずだ」「それは違う」と反論する余地がないものだ（もちろん、顧客の指摘が正しいか否かは別問題だ）。

第1章　相手に「伝える」ということ

図1-7 ❖ 事実なのか判断なのかを曖昧にすると信憑性は半減する

落とし穴3　「前提条件や判断基準」「言わずもがな」「当たり前」 と思っているのは伝え手だけ。

　例えば、「当社は中国市場に参入すべきか」と言われたとき、客観的な事実、例えば、中国市場の現状と競合他社の動き、そして自社の現状を見る。しかし、これらの事実だけで、参入の是非の判断が下せるわけではない。大事なことは、そのような事実があったときに、当社は何を持って新市場へ参入するのかの基準をいかに設定するかであり、それがビジネスパーソンの、また問題解決に携わる人の腕の見せ所だろう。
　例えば、当社は市場の成長性、自社の強みを活用できる度合い、そして収益性という3点をクリアした場合に新市場に参入する、という企業もあるだろうし、3年以内に投資を回収できるか、他の事業へのシナジーはあるか、という2点が判断の基準となる、という企業もあるだろう。
　いろいろな企業の事業計画書などを見ていると、事実の羅列の次に、清水

図1−8 ❖ 当たり前と思っているのは伝え手だけ

（吹き出し1）状況はわかった。しかしなぜ、事業化すべきと言い切れるのか。

（吹き出し2）当社には事業化をするか、しないかを判断する基準があるのを知らないのか。それに照らした時どうなのか!!

（吹き出し3）ダイエットフーズ市場は成長期にあり競合もいまだ"毎日のダイエットそうざい"を開発していない。当社は健康食品市場でのブランドと実績がある。よって、当社はダイエットそうざいの事業化に取り組むべきである。

の舞台から飛び下りるがごとく、やる・やらないの判断が書かれていたりする。大事なのは、物事をどのように評価し、その結論に至ったのか、である。投資をする・しない、新市場に参入する・しない、といった判断をどのような基準で考えるのか、この部分が示されなければ、その判断が正しいのか、正しくないのか、受け手は判断することすらできない。

また、仮に会議の場でやるという結論が承認されたとしても、その場に出席した役員一人一人に「なぜ、あなたはこれらの事実から、この事業をやるという結論に賛成したのですか」という質問をしたときに、果たして、営業担当役員と生産担当役員、技術担当役員の根拠は一致しているだろうか。もし、その思惑が違うとすると、後々、市場参入後にトラブルがあったり事業拡大や撤退を判断するときに、足並みの乱れが現れてしまうだろう（図1−8参照）。

事実に対して、与えられた課題に答えを出す上で、その事実をどう見るのか、という判断の軸こそが、企業にとっての戦略的な視点であり、問題解決

の際の要点でもある。これをきちんと示すことが、結論とそこに至る根拠を、相手や組織の中で共有化する上で極めて重要だ。

◆── 方法が伝わらないときの2つの落とし穴

　方法は具体的に──これまで耳にタコができるほど言われていることだろう。そして、よほど鈍感な人でない限り、書いたり話したりしている本人が、それが具体的かそうでないかを一番感じているに違いない。具体性を欠く典型的なパターンは次の2つだ。

**落とし穴1　他の会社、10年前でも通用するような公理では
　　　　　　人は動かない。**

　「当社は競争力の強化に向けて、顧客と競合の動きを注視し、自社の強みと弱みを見極め、最も差別化が可能な領域に経営資源を集中投入する」と言われたらどうだろう。誰も真っ向から反対はしないかもしれないが、実際には何のアクションも起こらないだろう。なぜなら、これは戦略というものの定義そのものであり、普遍の真理ともいえるものだからだ（図1-9）。戦略の定義は、どの企業にも通用するものだし、10年前でも10年後でも通用してしまう。教科書に書かれているような公理をいうのではなく、そこを自分の企業に置き換えたとき、具体的に何をすべきかを伝えなければ意味がない。
　ときどき、「具体的な方法を考えるのが部下の役目」と豪語する上司を見かけるが、時代感覚がかなりずれていると言わざるをえない。こういう上司に限って役員から「○○君、君は具体的にどうするつもりかね」と聞かれると、「現場とよく協議いたしまして……」などと答えにならぬ答えをするものだ。
　同時に、上司から伝えられた漠然とした指示を抱え込んで「こういうことだろうか」と空想を巡らせている部下にも遭遇する。賢明な部下なら、「部

図1-9 ❖ 公理では物事は進まない

何かどこかで見たような…
戦略論

当社の来年度の最重点課題
当社は競争力の強化に向けて、顧客と競合の動きを注視し、自社の強みと弱みを見極め、もっとも差別化が可能な領域に経営資源を集中投入する。

長のおっしゃったことは、具体的にはこういうことですね？」と質問をしたり確認をしたりして、物事を具体的に理解しようとするだろう。物事を具体的に伝えるのは、伝え手と受け手の共同作業であり、共同責任だ。

　自分の考えている方法は、「自社だけでなく他社でも通用するものではないか？」「10年前でも10年後でも通用しないか？」と自問自答して欲しい。そのチェックに引っかかったら、それは方法とは言えない代物だ。

落とし穴2　修飾語で物事が具体的になることはない。

　「当社は、収益性の強化を当社の最重要課題と位置づけ、トップのリーダーシップのもとに、全機能横断的に取り組んでいく」と言われてどう思うだろう。いろいろ修飾語はついているが、要は「全社一丸となって頑張ろう」としか言っていない。内容が具体的でないとき、ややもすると修飾語をいくつかつけて中身を膨らませて見せたい衝動に駆られる。しかし、それは空しい作業であることが多い。

では、どうすれば方法は具体的になるのか。残念ながら、これはコミュニケーションでどうにかなる問題ではない。具体的に書けない、話せない相手に「もっと具体的に」と檄を飛ばしたところで意味はない。せいぜい、鉛筆をなめて「全社一丸」「重要課題として」「抜本的な取り組み」といった修飾語の数が増えて戻ってくるのがオチだ。自分で書いたり話したりしているとき、どうも具体的でない、と思ったら、それは、問題が具体的に解けていないことなのだ、と考えるべきだ。そして、自分はどこまでわかっているのか、現象をどこまで掘り下げて分析できているのか、いまわかっていることにもう一度、「なぜそうなっているのか」「どうしてそういうことが起こったのか」「なぜそう言えるのか」を自問自答して欲しい。具体性とは、言葉の問題、表現の問題ではない。具体的に方法を書ける、話せる、ということは、具体的に問題が解けているということだ。どうすればよいかを具体的に考えられている、ということだ。

　例えば、ある企業で最近、顧客からのクレームが多発しているとしよう（図1-10参照）。ここで「クレームを減らせ！」と叫ぶだけでは意味がない。調べてみると、顧客は商品が故障したことよりも、むしろそれに対する対応の悪さに怒っていることがわかった。すると、「クレームをつけてきた顧客への対応を改善せよ！」ということになる。なぜ、クレームへの対応が悪いのか、さらに調べてみると、販売員たちは商品の販売には非常に熱心だが、いったん売った商品の修理対応には驚くほど関心がなかった。なぜなら、この企業の販売員の評価は、商品の新規販売台数のみが指標となっているからだ。そのため、優秀な販売員ほど評価に結びつかない修理対応はやりたがらず、新規の販売に精を出す。結果的に、営業成績がいまいちな営業マンたちが不承不承対応している、ということがわかった。ここまでわかれば、対応はいろいろ考えられる。修理対応、それに伴う顧客のリピート率を評価の指標に入れるよう、評価制度を変える、というのも一案だし、修理対応部隊と販売部隊は切り離し、営業マンとは違う評価体系のもとで修理対応のプロを育てよう、ということも考えられよう。このレベルになってはじめて、相手

図1-10 ❖ 具体的に伝えるためには

わかっていること	考えられる方法	聞き手の反応
顧客からのクレームが多い。	・クレームを減らせ。	How?
↓ 商品の故障そのものより対応の仕方に不満が高い。	・クレームをつけてきた顧客への対応を改善せよ。	How?
↓ 販売員は販売には熱心でも修理対応には関心がない。	・販売員の修理対応への意識を高める。	How?
↓ 優秀な営業マンほど修理対応をしたがらず、結果的に修理対応は営業成績のパッとしない人の吹き溜まりになっている。	・優秀な営業マンに修理対応を動機づけよ。 ・修理対応の担当者を変更せよ。	How?
↓ 新規販売台数のみが人事考課の対象となっており、顧客のリピート率顧客対応などは評価されていない。	・修理対応が評価されるよう、評価方法を見直せ。 ・修理対応を販売から切り離しプロを育成せよ。	

は方法を納得し行動を起こしてくれるのだ。

多くの場合、図1-10の3段目あたりまでしか調べずに「販売員の修理対応への意識を高めよう」といったスローガンを掲げただけで終ってしまうと結果として何も変わらない、ということになりがちだ。いまわかっている事実に対して、もう1回、2回、「なぜそうなっているのか」の質問を繰り返すことで初めて、具体的な方法が見えてくる。

具体性があるかないかをチェックするときにおすすめなのは、「自分がその実施者の立場だったら、何を知っていれば具体的に動けるのか？」と自問自答してみることだ。

企業の中期計画書などを見せていただくと、図1-11のような言葉に出会わない方がめずらしい。あなたの会社の計画書はどうだろうか。別にこのような言葉が悪い、というわけではない。問題は、それに対して「どうやっ

図1-11 ❖ 事業計画によくある表現

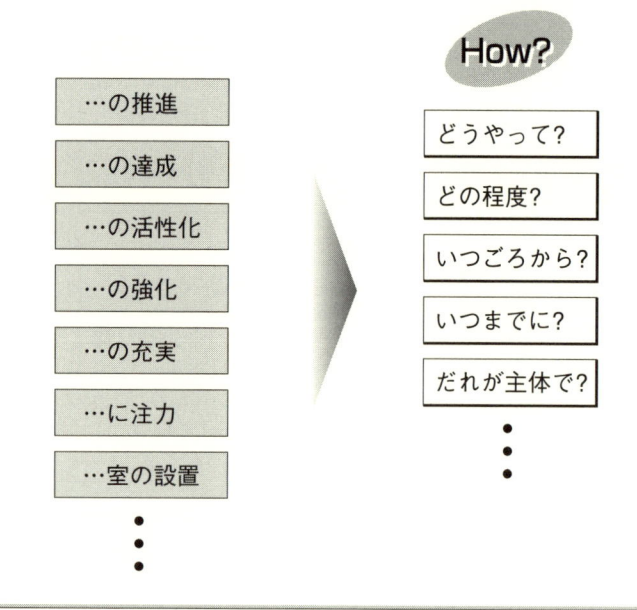

| …の推進 |
| …の達成 |
| …の活性化 |
| …の強化 |
| …の充実 |
| …に注力 |
| …室の設置 |
| ⋮ |

→ **How?**

- どうやって？
- どの程度？
- いつごろから？
- いつまでに？
- だれが主体で？
- ⋮

て？」「どの程度？」「いつからいつまでに？」「誰が主幹で連携とはどのように？」といった質問にどれだけ答えられるのか、その答えが盛り込まれているのか、ということだ。要は、「そう言うなら、おまえが自分でやってみろ」と言われた時に何をすればいいかわかっているか、ということだ。

　以上、本書が対象とするコミュニケーションのイメージをお持ちいただけたのではないだろうか。極めて私的、あるいは芸術的な場面など自分と同じ感性やセンスを持った人だけがわかってくれればよい、わからない人はわからなくてもいい、もしくは真情の吐露や独白といった、伝えること自体が目的のコミュニケーションは、本書では対象としていない。あくまでもビジネスの場面で、事実をベースに分析し、相手を論理的に説得することが重要な局面でのコミュニケーションを想定している。ただし、特定の目的の達成が求められるならば、地域のコミュニティなど、ビジネス以外でも幅広い領域にも応用可能だ。

COLUMN
感度のよい受け手になるために

　玉石混淆の情報が氾濫している今日、自分の手元に来た文書をとにかく読む、というスタイルでは、効率的に仕事が進むとは思いにくい。

　文書が回ってきたら条件反射のようにとにかく読む、のではなく、その文書の目的と自分に期待される反応をまず把握し、その上で読み始める癖をつけよう。自分が読み終わった後に何をすることが求められているのかをわかって読むのと読まないのとでは、読み込み方が大きく違う。

　文書の目的と自分に期待される反応がわからない文書が回ってきたら、躊躇せずに文書の作成者や作成部門に聞いてみよう。「いったい、この文書は何の目的で回ってきたのか」「これを読んで、私は何をすることが求められているのか」と。

　組織の中で、課題と期待する反応を確認する癖がつけば、とりあえず出しておこうという文書は減り、コミュニケーションの効率も効果も大いに高まるはずだ。

感度チェック

この章のまとめとして、あなたのコミュニケーションの感度チェックをしてみよう。

問題1

感度のよい読み手・聞き手になることが、優れた伝え手になる早道だ。次の文書があなたのところに回ってきた。中身の妥当性や正否を云々する前に、何か違和感がないだろうか？

　　　　　　　　　　　　　　　　　　　　　　　　　2001年○月×日
食品事業部 関連部長　各位
　　　　　　　　　　　　　　　　　　　　　　　　21プロジェクトチーム

ダイエットフード市場の市場調査結果

　当プロジェクトチームでは、市場調査により、ダイエット指向が特に健康面での重要性から幅広い世代の消費者に浸透し、市場規模は約○○兆円に上ることを明らかにした。

1. 市場規模と成長性の推移
　　ダイエットフード市場は、2000年現在、約○兆円、1996年以降の年平均成長率は○％にもなる。
　　　・市場規模を見ると……。
　　　・商品カテゴリーの変化を見ると……。
　　　・成長率を見ると……。

2. ダイエットに関する消費者の動向
　　消費者の間で、ダイエットは、この5年間に、ハイティーンからシニアまで幅広い年齢層を対象に、特に健康指向の側面から急速に浸透している。
　　　・健康指向の側面からは、……。
　　　・美容という側面からは、……。

> **ヒント** あなたがこの書面の受け手である関連部長だったとしたら、このような文書が回ってきたとき、どう思うだろうか。ここでは、「市場規模と成長性の推移」や「ダイエットに関する消費者の動向」の中身やその具体性が問題ではない。特に違和感がなかったとしたら、「自分しか見えない病」にかかっている模様。メッセージの要素とは何か？　それに照らして欠けているものはないか？

問題 2

次の文書があなたのところに回ってきた。社内勉強会のお知らせのようだ。何か違和感を覚えるところがないだろうか。

第3回　M&A勉強会

テーマ：増えてきた敵対的買収の実態
―敵対的買収の案件数の推移と株式公開買付のプロセスとは―

日　時：2001年○月×日（土）13時～14時30分
場　所：本社大会議室
内　容：
　1. 敵対的買収の防衛的手段とは（13時～13時45分）
　2. 敵対的買収の対抗的手段とは（13時45分～14時10分）
　3. 質疑応答（14時10分～14時30分）

以上

ヒント すべてのコミュニケーションは「課題（テーマ）」の確認から始まる。これができれば自然に、勉強会のテーマと内容があっているか、というチェック機能が働くはずだ。

問題 3

　社内の連絡事項はもっぱらeメールという企業も増えてきている。さて、次のようなメールがあなたのところに来た。感度のよいあなたなら、「何だ、もっとこうすればいいのに」と思うはず。
　このメールの文書も少し変えるだけでぐんと発信者の意図が鮮明になる。それは何だろう。

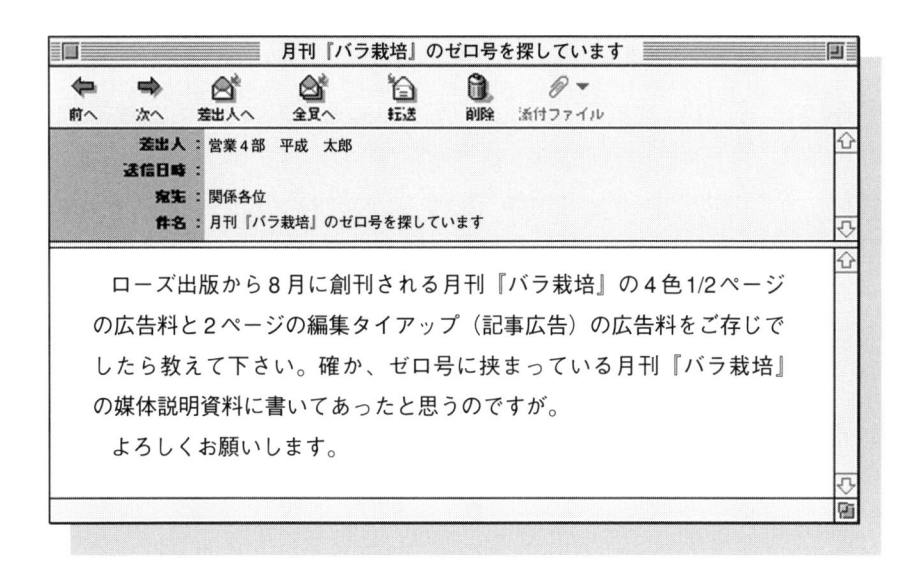

月刊『バラ栽培』のゼロ号を探しています

前へ　次へ　差出人へ　全員へ　転送　削除　添付ファイル

差出人：営業4部　平成　太郎
送信日時：
宛先：関係各位
件名：月刊『バラ栽培』のゼロ号を探しています

　ローズ出版から8月に創刊される月刊『バラ栽培』の4色1/2ページの広告料と2ページの編集タイアップ（記事広告）の広告料をご存じでしたら教えて下さい。確か、ゼロ号に挟まっている月刊『バラ栽培』の媒体説明資料に書いてあったと思うのですが。
　よろしくお願いします。

> **ヒント**　繰り返しになるが、コミュニケーションの出発点は「課題（テーマ）」にある。それを相手にも、自分が考えているのと同じように理解してもらえるよう、明示することが大切だ。では、このeメールの発信者にとっての課題（テーマ）は何か？　特にeメールの場合、タイトルでテーマを明示することの重要度が高い。

COLUMN
eメールを確実に読んでもらうために

　時間を気にせず相手にメッセージを発信できる手段として、eメールは、すっかりビジネスのコミュニケーションツールとして定着した感がある。社内のイントラネットのメールだけでなく、インターネットメールも使っているビジネスマンは、1日に数10件のメールに目を通すことを余儀なくされる。

　当然、自分にあまり関係のなさそうなもの、興味を引かれないものは後回しになり、クリックすらしてもらえないうちに時間が経つ、ということになりかねない。

　ここで、確実に相手にクリックし、とにかく読んでもらうために必要なのがタイトルの工夫だ。

　「あなたのお役に立つお知らせ」と書けというわけではない。これではかえって胡散臭くて直ちに消去されかねない。

　ではどうすればよいのか。それは、課題を明確化することと、相手に期待する反応を明記することだ。例えば、「○○についてお返事下さい」「○○の提出は明後日までです」「○○会議の日程変更のお願い」と書いてあれば、開かないわけにいかない。

　課題と相手に期待する反応の明示は、バーチャルな世界のコミュニケーションにおいても重要である。

第2章 説得力のない「答え」に共通する欠陥

　筆者は日々、ビジネス・パーソンや学識経験者が書いたものをテーマを問わずいろいろ読んでは、書き手の結論が、読み手にとってわかりやすく、説得力を持って理解されるように改善すべく、ない知恵を絞っている。その経験から、わかりにくいもの、説得力のないものには、①話の明らかな重複・漏れ・ずれ、②話の飛び、という2つの共通する欠陥があると考えている。

1 話の明らかな重複・漏れ・ずれ

　わかりにくいものに共通する最初の欠陥は、聞き手、読み手から見たときに、話に明らかな重複・漏れ・ずれがある、ということだ。

◆── 話の重複は「私の頭の中は混乱中」のサイン

　「理由は3つある」と前置きして始まった話を聞いていると、どうもすっきり頭に入らない。中身をよく吟味してみると、表現や言葉遣いこそ違うものの、1つ目のポイントと3つ目のポイントで言っている内容は同じではないか、と感じてしまうような場合だ。次第に聞き手の脳裏には「この程度の整理もきちんとすることなしに出された結論に、果たして信憑性があるのだろうか、どこかに重大な判断ミスがあるのではないか」という猜疑心が芽生えてしまう。

例えばこのような場合だ。あなたの部門では新規顧客の開拓を検討している。顧客開拓には時間もお金もかかるので、やみくもに進めるわけにはいかない。そこで、部としてどの企業を重点的に開拓すべきかを議論した。あなたの部下の熱血営業マンA氏が次のように発言した。

「私は、最近話題のシステマ社をアタックしたいんです。もちろん簡単だとは思いませんが、私は3つの理由で当部がシステマ社を顧客として開拓する意味があると思います。まず第1に、顧客ポートフォリオの観点です。システマ社は数少ない成長産業に属する創業したばかりのアタッカー型の企業です。当部の顧客は、成熟産業に属する歴史ある大企業が多く、システマ社のように、成長分野に属し既成の秩序を打ち破る勢いのある企業は見あたりません。顧客ポートフォリオが広がることは、機会の広がりとリスクの分散の両面でよいと思います。そして第2に、収益性の点です。カリスマ的な経営者の懐にいったん飛び込めれば、将来的には大きな商売につながるのではないか、と思います。また、そのような経営者との接点の中で、我々の次の商売のネタについて、ヒントももらえるように思います。第3には営業スキルという観点です。これまでにないタイプの企業の開拓やその後の取引をする中で、個性的なトップから影響を受けたり、学ぶ点もたくさんあると思うのです。営業スキルという点でも、意義が大きいと思います」

この説明、あなたはどう思うだろうか。顧客ポートフォリオの観点、収益性の観点、営業スキルの観点と、多面的にものを考えているように思える。しかし、よく考えると、収益性の観点、営業スキルの観点で言っている中身は、煎じ詰めると「私はいまをときめくシステマ社の経営者に興味がある。その人に会いたい。その企業とつきあいたい。だから新規開拓の候補にしたい」の一言に尽きることに気づくだろう。やり手な上司であるあなたなら、にやりと笑いながら「君がシステマ社の経営トップにご執心なのはよくわかった。その一心で考えた3つの理由の切り口も秀逸だ。その熱意は買おう。

図2-1 ❖ 話の重複は人を苛立たせる

> 部長、ポイントは3つです。
> Aについては……
> Bについては……
> Cについては……

> 一見もっともらしいが
> よく聞くとAの話とCは
> 結局同じじゃないか

顧客ポートフォリオについてはその通りだね。次は、収益性は本当のところどの程度見込まれるのか、具体的にどのような営業スキルが育成されそうなのか、その中身を聞かせてくれ」と言うに違いない。この熱血営業マン君の熱弁に惑わされ、中身の重複に気づかないようでは、営業費を新規開拓の成果に結びつけることはおぼつかない（図2-1）。

◆── 話の漏れは、「一点突破、全面崩壊」につながる

2つ目は、素人が聞いていても話に明らかな欠落があり、しかも、なぜその点について言及しないのかについて何の説明もないままに伝え手の考えの妥当性が主張されるようなケースだ。

聞き手は次第に相手に対する不安感を募らせる。自分が気づいた点の他にも、この伝え手の説明には何か決定的な抜けや漏れ、落ち度があるのではないか、という心理状態に陥り、たとえ伝え手の結論が妥当なものであったとしても、チェックモードに入ってしまう。
　先の新規顧客開拓会議に場面を戻してみよう。熱血営業マンＡ氏の次に発言したのはＢ課長だ。Ｂ課長は「部長、私は絶対に衛星放送事業者のサテライト社を開拓したいと思います。なぜなら、これからの放送業界を考えるとサテライト社を顧客にするメリットは……」と延々５分間、サテライト社を顧客として開拓するメリットを事細かに解説した。しかし、あなたの脳裏によぎったのは、先日上場されたサテライト社の株を買い、その後、一度も株価が上がることなくすでに半額になってしまった、と泣いていた友人の顔だ。当然、あなたは、「サテライト社を顧客にするメリットはわかった。しかし、業界再編の動きのまっただ中にいるサテライト社を顧客として開拓することのリスクを君はどう考えたんだい？」と質問するだろう。
　さすがに"課長・視野狭窄"と異名をとるＢ課長だけのことはある。なぜサテライト社がよいのかの一点張りで、サテライト社を顧客として開拓することのリスクについても、この顧客を顧客としなかったときのデメリットについても、何の説明もない。このような漏れや抜けがあっては、とうてい、違う考えを持っている相手を説得することはできない。一点突破、全面展開ならぬ、一点突破、全面崩壊である（図２-２）。

◆──話のずれが、そもそもの目的やテーマからの脱線を招く

　３つ目は、話の中に種類やレベルの違うものが混ざっているために、話が極めてわかりにくくなってしまうケースだ。みかんの話をしているときに、りんごの話が混ざってしまう、りんごならまだ同じ果物だからよいが、みかんの話に大根の話が混じる、というようなものだ。受け手がわかりにくい、と思っているうちはよいが、伝え手も受け手も本来の、話の混在やずれに気

図2-2 ❖ 話の漏れは本人には見えない

（鉄壁の守り）

「以上、3つのメリットを網羅的に考えてAをやるべきです！！」

（全体が見えてないなあ。Aをやることのリスクを一体どう考えるんだ……）

「君ねえ…」

がつかないままに進んでしまうと、いつの間にか話がテーマから大きく外れてしまっていた、という結果になりかねない。

　もう一度、先の新規顧客開拓会議の場面に戻ろう。B課長の次に口を開いたのは段違い平行棒の名手と揶揄されるC氏だ。

「私が検討したのは、Aさんが言ったシステマ社、それからB課長が言ったサテライト社、そしてスイエー社の3社です。この3社は、ここ3年間の売上高成長率から選びました。スイエー社はかつては当部の顧客でしたが、ここ5年間取引がありません。多面的に検討した結果、すでに実績のあるスイエー社の取引拡大に投資をする方が、システマ社やサテライト社の新規開拓に投資するより、ずっと効率・効果が大きいと見込まれます」

図2-3 ❖ 土俵が異なれば相撲にならない

　新規顧客の開拓というテーマでその対象を議論しているのに、現時点で取引はなくとも過去に実績のある企業を議論の土俵に上げてしまうのは明らかにおかしいことは言うまでもない。ところが、投資の効率・効果という魅力的な言葉に引かれて一同深くうなずき、新規顧客開拓と休眠顧客の活性化のどちらを優先すべきか、という議論に驀進するというケースがまま発生する。何のために新規顧客を開拓するのか、なぜ既存顧客の活性化よりも新規顧客の開拓をすべきなのかをまったく考えていなかった、などというお寒い上司でない限り、あなたは敢然とこの議論を制し、「これこれこういう理由で新規顧客の開拓が必要だと前回のミーティングで合意したはずだ。システマ社、サテライト社、スイエー社では同じ土俵で議論できないだろう」と却下するはずだ（図2-3）。

以上のように、話に重複・漏れ・ずれがあるために、相手の理解を著しく阻害してしまう。これがわかりにくい話の1つ目の要因だ。

2 話の飛び

「A、B、Cです。したがってXです」「A、B、Cです。そこでXとなります」と言われると、聞き手は、Xという話はA、B、Cという要素からの自然な帰結、あるいは、A、B、Cから無理なく導かれる1段上位の概念であろう、と考える。これがごく自然な人間の思考だ。

ところが、普通に考えると、どうにもA、B、CとXがつながらない。こうなると、受け手には、伝え手の結論を理解するよりどころがなくなってしまう。話の重複・漏れ・ずれは、理解のスピードを遅らせたり、相手を疑心暗鬼にさせてしまうが、話をきちんと整理し直せば、相手の理解を得ることもできよう。しかし、話の飛びは相手の理解を拒絶させてしまう。

例えば、新年度の挨拶で事業部長が次のような話をしたらどうだろう。

「当事業を取り巻く環境は極めて厳しいのは諸君も周知の通りである。当事業部は本年度、贅肉をぎりぎりまでそぎ落とし、財務面でも事業運営面でも無駄のない運営をめざす。基本方針は次の3つだ。

第1に、投下資本に対するリターンを厳しく見極め、3年以上ROEが5％を超えない事業は撤退を検討する。

第2に、当事業部の機能の中でどこに競争力があるのかを見極め、競争力のない機能で、よりよい質のサービスを廉価に提供してくれる外部事業者があれば、積極的に外部事業者を活用する。

第3に、製品の開発や改良においても、他社との連携を模索し、最小の投資で最大の効果を追求する。

したがって、総務業務と受発注業務は外注化する。しかし、中央研究所は

歴代社長を輩出した当事業部発祥の地であり、昨今、思うような成果が出てはいないが、最後までこれを死守する」

　製品の開発や改良において他社と連携しろ、競争力のない機能は外を使え、と言いながら、成果の出ていない研究所がなぜ「したがって存続」となるのか、冷静な第三者を納得させることは難しい。研究所が存続するのは、本年度の事業部の基本方針に照らしてではない。この会社、この事業部の思い入れによってだ。正しくは、「歴史ある中央研究所をなくしたくない。したがって存続させる」ということだ。「したがって」でつなぐべきは、事業部の基本方針ではなく、当社のこだわりや、当社の信念でなければならない。つなぐべきものが間違っているのだ。

　また、図2－4のような例は枚挙にいとまがない。あなたの会社の事業計画、担当部門の当期の業務計画書にもこのような例はないだろうか。

　前期課題、当期施策と続けて書いてあるからには、前期の課題を踏まえ、その解決とさらなる成長をめざすべく、当期の施策が定められている、と考えるのが自然だろう。これを書いた本人も、口頭で説明する際には、「前期の課題はこれこれです。したがって、このことを踏まえ今期の施策は……」と説明するのではなかろうか。

　しかし、訪問頻度は高まっているのに業績が伸びていない大口顧客に、より頻繁に訪問して果たして勝ち目があるのか、取引が途絶えている小口の顧客を果たしてコールセンターやインターネット・チャネルで掘り起こせるのか。さらには、中途半端になっている開拓中の顧客はどうするのか、と疑問は尽きない。この部門の今期業績に明るい展望を持て、という方が無理というものだ。

　そもそもつながりや脈略のない話や飛躍のある話をあえて相手にぶつけるような蛮勇を奮うビジネスパーソンはいないだろう。本来あるはずのつながりを相手に伝えられないことのリスクは限りなく大きい。話の飛びや脈略の不明瞭さ。これが、わからない話に共通する第2の特徴である。

図2-4 ❖ 脈略不明な当期施策

事業計画書

□前期の課題
・新規顧客開拓の遅れ：A、B、C三社にアプローチしたが、提案書の提出に至ったのはA社のみ。
・既存大口顧客の取引高の伸び悩み：大口顧客であるD、E、F社は売上高の対前年比はマイナス。訪問頻度は対前年より高まっているにもかかわらず、とくに新商品の受注が低迷している。
・既存小口顧客の休眠率の増大：一年以上取引のない休眠客が増大。この顧客群は一社当たりの売上は大きくないものの収益性は高く、全体の収益性に悪影響を及ぼしている。

□当期施策
・コールセンターやインターネットを活用した営業と、営業マンによる直接営業を、顧客に応じて使い分ける。
・大口の顧客に対しては、営業マンが直接営業。売上高、収益性の向上を目指す。
・小口の顧客に対しては、コールセンターやインターネットを活用し、営業効率と頻度、カバー率の向上を目指す。

「話の明らかな重複・漏れ・ずれ」、そして「話の飛び」。このどちらに陥ってもコミュニケーションの相手は、自分の頭の中で伝え手の話を再度検証し、何が変なのかを探り、本来どうあるべきかを考え、そのギャップをつかむ、という面倒な作業を強いられることになる。しかも、多くの人はそのような面倒な作業を最後まで行うことなく、途中で嫌になって投げ出してしまうか、自覚・無自覚にかかわらず、自分のわかった範囲で自分なりに解釈してしまうものだ。
　論理的に相手に伝える上では、相手に「余計な作業をさせない」ということがとても大事だ。だから、伝え手はあらかじめ自分の思考をきっちりと整理し、大きな重複・漏れ・ずれ、そして話の飛びがないように、チェックしてもらいたい。これはビジネスにおけるコミュニケーション・マナーだ。

第2部

論理的に思考を整理する技術

人に何かを伝える場面において、まず答えるべき課題を確認し、それを伝えることによって相手にどんな反応をとってもらいたいのかを確認した後で、それでは自分としての答えは何か、と考える。そのとき、「結論」が思い浮かばない、ということはまれだろう。もしそうだったら、それは課題が解けていないことになり、人に伝えるどころの話ではない。

　伝えるべき結論は自分としてははっきりしている。しかし、自分の手元には山のような情報や資料がある。これらをどのように整理すれば、相手から見たときに自分の結論が「なるほど」と思えるように説明できるのだろうか、と悩んだ経験は誰しもあるだろう。

　「私の結論はXです。なぜならば、次の3つの観点からXという結論が導かれます」というように、理路整然と説明したい。しかし、手元にある材料をどう整理すれば、「次の3つの観点」にまとめられるのだろうか。あなたの根拠を相手にとって納得感のある「次の3つの観点」に整理するにはどのような切り口で考えればいいのだろうか。さらに、仮にA、B、Cという「3つの観点」が見つかったとしても、「A、B、C、したがってXという結論です」と言ったとき、相手はこの「したがって」を納得してくれるだろうか。

　このように悩むことは健全なことであり、相手に伝えたい、わかってもらいたいというコミュニケーション・マインドを持っている証拠といえる。それでは、どうすればよいのだろうか。その答えは、「MECE(ミッシー)」「So What? /Why So?（ソー・ホワット/ホワイ・ソー)」という2つの技術を習得することにある。

第3章 重複・漏れ・ずれを防ぐ

1 MECE——話の重複・漏れ・ずれをなくす技術

　自分の結論を相手に説得するとき、その根拠や方法に重複・漏れ・ずれがあっては、相手の理解を得ることはできない。逆に、私たちが重複・漏れ・ずれを認識できるのは、「あるべき全体」がどのようなものかがわかっているときだ。この話をする際には、全体としてこういうポイントを押さえておかなければならない、ということがわかっているから、目の前に示された話とそのポイントを照らし合わせて、「ここが欠けている」「この話はだぶっている」「種類が違う」と判別することができる。全体集合がはっきりしていて、その全体集合がどのような部分集合体で成りたっているのかをわかっていることが重要だ。土地勘のある業務や知見のある分野についての話の方が、漏れやだぶりをチェックしやすいのも、全体集合とそれを構成する部分集合を、長年の経験や知識で判断しやすいからだろう。

　しかし、慣れているからこそ見落としてしまうということもあるだろうし、馴染みのない分野や経験のない分野ではチェック機能が働かないようでは、はなはだ心許ない。テーマや領域自体に精通しなくても、自分の結論を説明する際、相手に自分の結論を自然に理解してもらうために、話に大きな重複や漏れがないようにチェックする技術がある。それがMECE（ミッシー）だ（図3－1）。この呼称は経営コンサルティングのマッキンゼー社で使われている。

図3-1 ❖ MECE(ミッシー)とは

ある事柄や概念を、重なりなく、しかも全体として漏れのない部分の集まりで捉えること。

Mutually Exclusive and Collectively Exhaustive
（相互に重なりなく）　　（漏れがない）

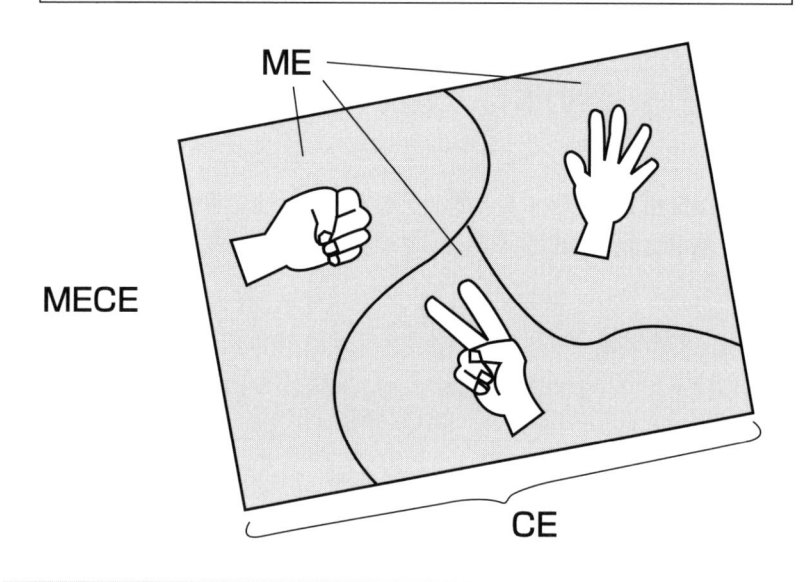

MECE
ME
CE

◆―― MECEとは？

　MECEとは耳慣れない言葉だが、Mutually Exclusive and Collectively Exhaustiveの頭文字をとったもので、「ある事柄を重なりなく、しかも漏れのない部分の集合体として捉えること」を意味する。ちょうど、全体集合を漏れも重なりもない部分集合に分けて考える、集合の概念と言えばわかりやすいだろう。
　例えば、あなたの所属部門と日頃接触のない役員から、「あなたの部門に

入ってくる情報は全体としてどのようなものがあるか説明してくれ」と言われたとしよう。あなたなら所属部門に転がっているさまざまな情報をどのように整理して説明するだろうか。

おそらく次の3パターンの説明方法があるだろう。

パターン1　羅列アプローチ

とにかく、思いつくまま目につくままに、自分の部門に外部から入ってきた情報を列挙する。『日本経済新聞』『朝日新聞』『日刊自動車新聞』『日経産業新聞』『繊研新聞』『業界紙2紙』『週刊朝日』『日経ビジネス』『週刊東洋経済』『週刊ダイヤモンド』『ベンダーからのニューズレター』……。あっという間にリストは100を超えるだろう。

ためつすがめつリストを眺め、こう説明する。「常務、当部に入ってくる

図3-2　❖　羅列アプローチ

情報をすべて列挙しますと、総数83でした。具体的には……」といって縷々リストアップする。良心的な常務は、途中までは自分の頭の中で列挙される項目を整理しようと努めるであろうが、そのうちそれをあきらめ、「もっと整理して説明してくれ」と叫ぶだろう。

　しかも、このパターンの質の悪いところは、仮に100も200も列挙したとしても、本当にこれですべてか、本当に抜けはないのか、と問いつめられると、リストアップしたあなた自身が確認のしようがない、ということだ。本当に漏れがないのか、抜けがないのか、チェックのための膨大な作業を余儀なくされてしまう（図3-2）。

パターン2　仕分けアプローチ

　一定のルールのもと、外部から入る情報を機械的に順を追って仕分ける。例えば、曜日別、あるいは午前・午後といった曜日や時間帯別などがこれにあたる。まず月曜日の朝に入るもの、午前中に入るもの、午後に入るもの、という要領だ。これでチェックはしやすくなる。

　しかし、このやり方にも問題がある。「常務、当部に入ってくる情報を曜日ごとに整理しました。すると総数83であることがわかりました。まず、月曜日ですが、午前中には……、午後には……」と始まったらどうだろう。曜日ごとに整理、というのは、最初の羅列よりは気が利いている。しかし、説明が火曜日に及んだところで、さすがのあなたも常務よりは先に気づくはずだ。「この繰り返しは何だ」と。日刊紙をとっていれば、少なくとも同じ媒体名が7回出てくるわけだ。すると今度は重複を消す作業に追われる。本当にこれで重複がないのか、消し漏れはないのか、チェックにチェックを重ねることになる。

　しかも、このパターンだと、曜日ごと、あるいは午前・午後という時系列で入ってくる情報の数はわかっても、情報の種類や性格はあまり印象に残らず、本当に課題に答えたことになるのか、という疑問さえ生じてくる。まさに、「重複は混乱のサイン」である（図3-3）。

図3-3 ❖ 仕分けアプローチ

パターン3　MECEアプローチ

　自部門に入ってくる情報を全体集合とすると、この全体集合は漏れも重なりもないどのような部分集合に分けられるだろうか、と考える。例えば、定期的に入ってくる情報と不定期の情報、一般に公開されている情報と非公開の情報、有料の情報と無料の情報、業界に関する情報とそうでない情報などにまず大別する。これで大きな漏れや抜け、重なりは避けられるはずだ。そして次に、定期情報を月刊、隔週刊、週刊などの頻度で整理する。不定期情報については、情報の形態により、ネット配信されるもの、CD-ROM、ビデオ、そして紙媒体と分けられる。紙媒体はさらに、簡易な数枚のニューズレター状のものと、冊子状のものに分けられる。そして、「常務、当部門に入ってくる情報は、大きく定期情報と不定期情報に分けられ、総数83の情報が外部から入っています。具体的には、定期情報は……、不定期情報は……

と分けられます」と説明する（図3-4）。

　聞き手、読み手の立場になれば、パターン3のMECEアプローチが最もわかりやすく、また役員の知りたいことに簡潔に答えられている。では、なぜMECEアプローチがわかりやすいのか。

　それは、話が細部に入る前に、伝え手の言いたいことの全体像、すなわち、答えの「全体」とそれがどのような「部分」から構成されているのか——全体集合とそれを構成する部分集合——が明示されるからだ。「うちの部門に入ってくる情報を全体集合とすると、定期情報と不定期情報という部分集合に分けられる」というように、ある課題や概念を全体集合として、それを大きな漏れや重なり、ずれがない部分集合に分けて考えるのがMECEの考え方だ。そして、MECEの考え方が活用された全体像が明快で、示された部分集合を足すと全体になりそうだ、と感じられる説明を受けると、相手は伝え

図3-4　❖　MECEアプローチ

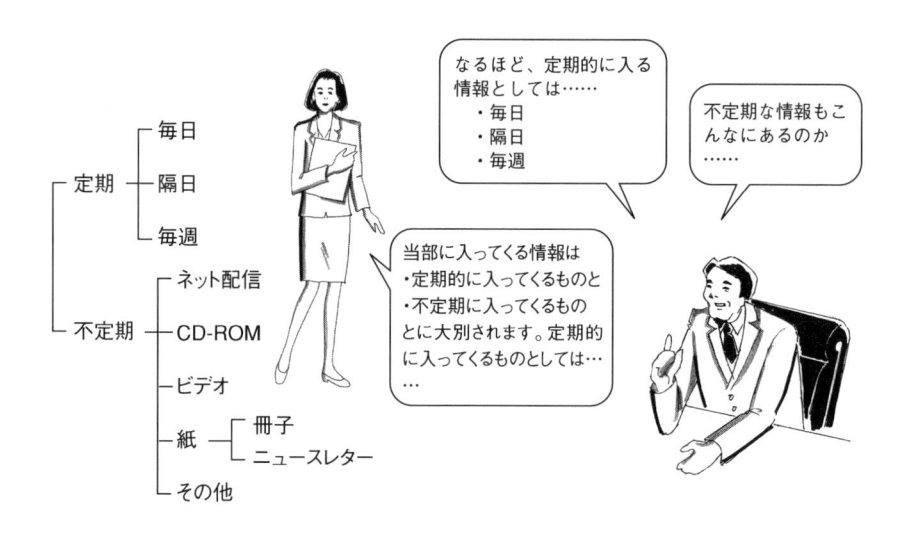

手の考えた「全体集合」を自分の理解の枠組みにして頭の中を整理し始める。相手が伝え手の議論の土俵に乗ってきてくれるのだ。

よく、相手に理解してもらうためには、相手の土俵で説明する必要がある、という議論があるが、勝手のわからない人様の土俵でわかりやすい説明ができる人は少ない。むしろ、常識的に考えたときに大きな欠点（重複・漏れ・ずれ）がないと思える自分の土俵を明快に示し、そこに相手を乗せる方がよほど現実的というものではあるまいか。MECEは、相手に自分の土俵を示し、自分の土俵に乗せやすくする技術なのだ。

◆── たくさんのMECEのポケットを作ろう

説明の上手な人は、1つの事柄をさまざまな側面、場面で説明ができる。ある事柄を全体集合としたときに、伝え手がさまざまなMECEの切り口を知っていて、相手にどの切り口で説明するのが一番わかりやすいのか、選択の自由度を持っているからだ。

MECEには大きく2つのタイプがある（図3-5）。1つは、例えば、年齢や性別など、完全に要素分解できるタイプのMECEだ。自社の個人顧客を居住地域で分け同居家族の有無、来店時に使用する交通手段の数で分ける、などがこれにあたる。

そしてもう1つ、知っておくと便利なのが、（これで本当に重複・漏れがないかを証明しろ、と言われると証明はできないが）これを押さえておけば、大きな重複・漏れはない、という約束事になっているMECEの切り口だ。代表的なものを次項で紹介しよう。「こういうものがある」と覚えて使ってみると、ビジネスに関する複雑な話を大きく整理して説明するときに役に立つ。ぜひ、試していただきたい。

1つの組織に長く所属すると、物事を整理したり説明したりするとき、ワンパターンな整理の切り口しか思い浮かばなくなる。顧客といえば法人と個人、あるいは年代や男女、製品といえばカテゴリー別といった具合だ。また、

図3-5 ❖ MECEの種類

全体集合を完全に要素分解できる場合	漏れや重複が絶対にないとは証明できないが、これだけ押さえれば大きな重なりや欠落はないとみなせる場合
・年齢 ・性別 ・地域 ・ ・ ・	・3C／4C ・マーケティングの4P ・組織の7S ・効率・効果 ・質・量 ・事実・判断 ・短期・中期・長期 ・過去・現在・未来 ・事業システム ・ ・ ・

顧客は職業別で分けよう、とぼんやりとは考えているが、実際にじっくりと考える人は少ない。職業で顧客を分けることは案外難しい。最近のように業界の境目があやふやになると、製造業、あるいはサービス業といった伝統的な枠組みではあてはまらない企業がたくさん出ている。また、物を購入する際に書かされるお客様カードなるものにも職業を記入させる欄があるが、管理職、専門職、医師、弁護士といった区分になっているのをしばしば見かける。若いドクターを束ねる外科部長のようなドクターは、医師の欄にチェックするのか、管理職にチェックするのか、はたまた医師という職業の専門性を考えると専門職なのだろうか。このお客様カードをどのように使うのかはわからないが、厳密に考えると、重なりだけでなくレベルの違うものが混在しているともいえる状況なのだ。

また、業界の中、あるいは企業の中で使い慣れた説明の切り口は、わかっ

ている者だけの符号と化しており、外部の第三者からはわかりづらく、理解しがたい場合が多い。先日、ある都銀での研修で、「金融商品に全く知識のない顧客に、銀行の商品だけでなく、世の中のありとあらゆる金融商品は全体としてどう整理できるのか、説明して下さい」というMECEの練習問題を出したところ、参加者は悶絶していた。専門知識があるだけに、自分が扱っている商品を全体集合として、日頃使っている業務の単位ではなく、顧客の視点で、顧客にとって意味のあるわかりやすい説明を、と言われても切り口が出てこないのだ。自分がいつも接していること、自分にとっては当たり前のことこそ、全体像を相手にわかりやすく見せることは難しい。

　物事をMECEに整理する切り口は、使い慣れた、当たり前の切り口だけに頼らずに、できるだけたくさん持っていたい。なぜなら、MECEのポケットをたくさん持っている人は、相手を説得する自由度をそれだけたくさん持っている、ということだからだ。そればかりか、ユニークなMECEの切り口は、伝え手自身に新鮮なものの見方をもたらし、クリエイティビティを刺激してくれるものなのだ。

◆── 知っておくと便利なMECEのフレームワーク

3C/4C（図3−6）

　3Cもしくは4Cとは、事業、あるいはその企業や業界の現状を全体集合としたとき、3つないしは4つのCで始まる要素を押さえれば、一応全体を網羅したと考えよう、という約束事だ。3つないしは4つのCとは、顧客・市場（Customer）、競合（Competitor）、自社（Company）、そしてチャネル（Channel）だ。市場や顧客の状況を知り、競合の状況、そして自社の状況を押さえると、一応、事業の現状の全体を押さえたことにしよう、業界によっては卸や代理店といったチャネルが事業のカギを握る業態もあるので、その

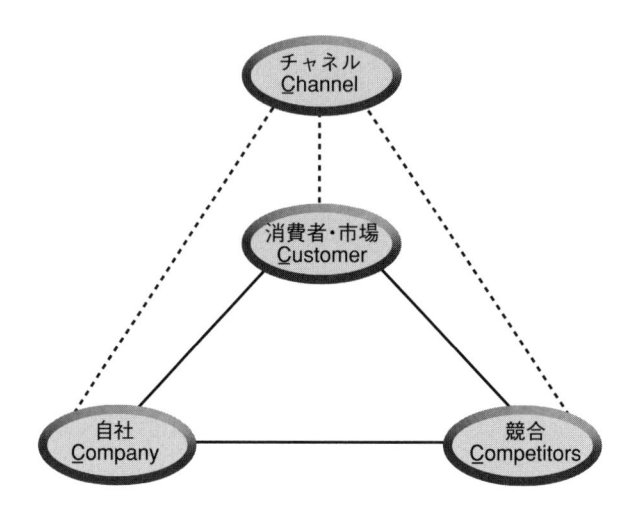

図3-6 ❖ 3C(4C)の概念

```
            チャネル
            Channel

          消費者・市場
           Customer

   自社                  競合
  Company            Competitors
```

ような場合はチャネルの状況を押さえておこう、というものだ。

　3C、4Cは、事業や企業の現状分析に使われる定番だ。例えば、自分の属する支店の現状を説明せよ、という課題が与えられたとしよう。その際、支店内で起こっている事柄や自社と競合との比較だけしていても始まらない。支店の現状をMECEに説明しようと思えば、次の4つの要素を網羅する必要がある。まず、自分の支店の商圏の状況など、市場の動向や顧客の動向を説明する。次に、同じ商圏で競う競合企業の戦い方や現状を述べる。そして、自分の支店の業績や、事業、組織の両面での現状を説明する。さらに、代理店などのチャネルを使っている企業であれば、チャネルの状態を説明する。これら4つの要素を押さえれば、概ね、漏れも重なりもなく、支店の現状の全体を捉えることができるわけだ。

4P（図3-7）

　ある顧客層を設定したとき、その顧客に対してどのような商品をどう販売するのか、というマーケティングについて考えるときに活用できるのが4Pだ。これを押さえれば、一応、マーケティング上、重要なポイントは外していないことにしよう、という約束事だ。4Pとは、ターゲットとする顧客に、どのような特性を持つ商品（Product）を、どのような価格（Price）で、どのようなチャネル（Place）を使って、どのような訴求方法（Promotion）で届けるのか、の4つのPで始まる要素を指す。そして、大事なことはこの4つのPがターゲット顧客と一貫性を持っている、ということだ。

　例えば、富裕層を対象とした旅行商品を開発し、この商品のマーケティングについて営業部門の人に説明する、という場面を想定してみよう。その際、どういう顧客を狙うのかを明示した上で、「このような顧客なので、こういう商品特性、この価格設定です。そして富裕な顧客に商品をご説明し、お届けするのは、優秀な直販部隊の皆さんであり、プロモーションとしては、ホテルで実際の旅行でお出しする食事を味わってもらう、というイベントを企

図3-7 ❖ マーケティングの4Pの概念

Product（製品）

Price（価格）

Place（チャネル）

Promotion（訴求方法）

画します」と説明する。聞いている営業部門の人は、顔見知りのターゲット顧客を思い浮かべながら、「なるほどこの商品はあたりそうだし、この価格も払ってくれるだろう。これこそネット販売や店頭販売ではなく自分の出番だ。このホテルイベントが決め手になりそうだな」と、一貫したイメージを持ってあなたの説明を理解してくれるだろう。

流れ・ステップ（図3-8）

　物事を、起点から終点に至るまでのステップや流れに分けて捉えてみる、というのも非常に有効なMECEの切り口だ。これには、ある事象が起こるまでをプロセスやステップに分けて考えるというものもあれば、過去・現在・未来、短期・中期・長期といったように、時間軸で分けるものもある。例えば「どうすれば、当社の商品を顧客に拡販できるか」という課題の答えを整理するとしよう。顧客が物を買うという行為を終点として、物を買うに至るまでに顧客がどのようなステップを踏むのかを整理し、各ステップごとに拡販の施策をまとめる、というのはよいアプローチだろう。ちなみに、顧客が物を買うプロセスは図3-8上段を参照されたい。
　この流れ・ステップの切り口で典型的なものが、ビジネスシステムやバリュー・デリバリー・システムと呼ばれるものだ（図3-8下段）。
　ビジネスシステムとは、企業が製品やサービスを開発して市場に投入する、ということを終点としたときに、企業内で必要になる活動を、企画、開発、生産、販売といった機能や業務ごとに整理するものだ。もちろん業界により、また同じ業界でも企業によりビジネスシステムは異なる。あなたの仕事を全体として考え、それを流れやステップで整理しようとすれば、あなたの仕事のビジネスシステムを作ることができる。この全体集合を1つの企業ではなく業界全体を対象として、どのような流れ、ステップで動いているのかを整理したのがインダストリー・チェーンといわれるものだ。

図3-8 ❖ 流れ・ステップの概念

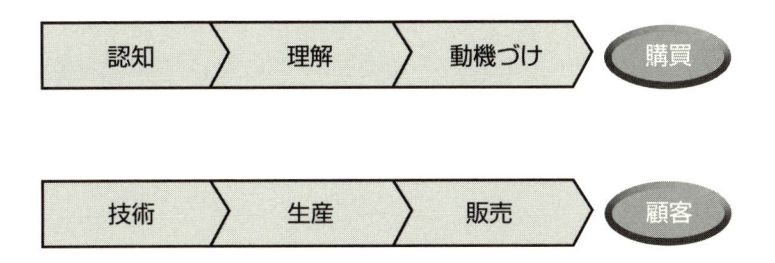

認知 〉 理解 〉 動機づけ 〉 購買

技術 〉 生産 〉 販売 〉 顧客

　ビジネス書を読むとしばしば登場するバリュー・デリバリー・チェーンは、企業活動とは顧客に何らかの価値を享受してもらうものであると定義し、価値が顧客の手元に届いて実現するまでの流れを、次のように捉えたものだ。どんな価値を届けるのかを決める「価値の選択」、その価値を実際の商品やサービスという形にする「価値の創造」、そしてそれを顧客の手元に届け具現化してもらう「価値の伝達」という3つのステップで考え、各ステップで必要な業務や機能、プロセスを整理したものだ。

効率・効果、質・量

　例えば、事務の改善といったテーマでさまざまな施策を考えたとする。このような場合の施策の有効性や妥当性を判断する際、どれだけ効率化できるか、ということのみに注意がいきがちだ。しかし、いくら事務が効率化されても、それで顧客へのサービスが悪化し、クレームが来るようになっては意味がない。「効率」を考えるとき、その相方として必ず「効果」も考えるべきで、効率と効果は、ワンセットの概念として覚えておくとよいだろう。

また、「質」と「量」も同様だ。スポーツ選手のトレーニングや食事は、量もさることながら、その質が極めて重要だという。さらに本書のテーマのコミュニケーションにおいても、伝える情報の質と量は非常に重要な切り口だ。情報は量が多ければよいというものでも、その内容が高尚であればよい、というものでもない。課題と相手を考えて、適切な情報の量と質を見極められれば、あなたは優れたコミュニケーターだ。質と量——これもワンセットの概念である。

事実・判断

　事実という誰も反論のできない客観的なものと、人により見方が異なる判断という主観的なものは、ある種のMECEと考える。これも、本当にこれで漏れも重複もないかと問われれば証明はできないが、第2章で、相手から見て根拠がわかりにくいときのパターンとして紹介したように、事実なのか判断なのかがわかりにくいということは、本来MECEであるべき客観と主観の境目があいまいになっているためだ。

　このように、MECEな切り口を複数知っていれば、自分の結論をあの手この手で説得することができる。例えば、競合の事業の現状を説明せよ、という課題が与えられていたとしよう。「競合のX事業は絶好調」というのがあなたの結論であったとすると、あなたはどのような観点から、競合の絶好調ぶりを説得力を持って相手に伝えるだろうか。
　競合のX事業の現状を全体集合として、市場、競合自身、競合以外のプレーヤー、そしてチャネルという4Cの切り口で説明するのも1つだ。また絶好調というからには業績に着目をして、収益方程式（収益＝（価格－コスト）×ボリューム）の項目ごとに分解して説明する方法もある。あるいはX事業をビジネスシステム、あるいはバリュー・デリバリー・システムに分解

して、各機能、あるいはシステムにどのような強みがあるのか、という観点から説明する方法もある。

MECEの切り口は、知って覚えるものもあるが、自分で作り出せるものだ。題材もいたるところにある。手始めに、あなたの仕事をMECEに整理することから始めてみよう。

2 グルーピング──MECEを活かした情報の整理

　グルーピングとは、たくさんの情報が散らばっているときに、MECEな切り口を見つけて、その全体像をつかみやすいように、いくつかのグループに分けることだ。結論をサポートする根拠になりそうな情報を集めてみたものの、どう整理すればよいのかと悩むことは多いだろう。そのようなときにグルーピングは威力を発揮し、とても効率的に情報を整理できるのだ。

　具体的にグルーピングとは何をすることなのか、そのプロセスを説明しよう。まず、自分の結論を説得するために役に立ちそうな手持ちのネタを、いったんすべて洗い出してみる。そして、課題の答えである自分の結論を説明する上でわかりやすく、意味のあるMECEの切り口を意識しながら、情報をMECEの切り口ごとに整理をしてみる。すると、雑多な情報がいくつかのグループに分類される。

　次に、1つ1つのグループごとに、そこに属する情報を眺めて、それがどのようなグループなのか、タイトル、つまりは名前をつけてみる。うまく名前がつかないときは、種類の違うものが混ざっている可能性が高い。そのようなときは、もう一度個々の情報を眺めて整理し直すか、MECEの切り口自体を変えてみる。

　最後に、各グループのタイトルを全部集めたとき、それが答えるべき課題の答えを説明する上で、答えの全体像を示し、かつ大きな漏れ・重なり・ずれがないことを再度、確認する。これがグルーピングだ（図3-9）。

図3-9 ❖ グルーピングとは

```
自分の手持ちのネタや言いたいことを一旦洗い出し、結論に対する
MECEな根拠、もしくはMECEな方法となるような切り口を見つけて
グループ分けし、全体の構造を見やすくする方法。
```

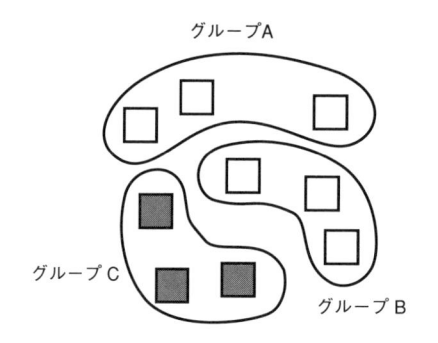

グループA

グループC

グループB

何らかの共通項でMECEに括る。

例えば、
・市場、競合、自社
・技、生、販
・地方、都市部

切り口は通常ひとつではない。
結論を支える根拠・方法として、
最も適切と思われる切り口を選
ぶ。

◆── グルーピングとは漏れ・重複・ずれのない部分集合を作ること

　ここで注意すべきことは、手持ちの要素を単に漏れなく重なりなくグループに分ければよい、というものではない点だ。それは単純な情報の仕分けにすぎない。

　繰り返しになるが、グループに分けられた情報を眺めて、それぞれのグループごとに名前（タイトル）をつけてみたときに、そのタイトルを合わせると全体をMECEに分けたものになっている、ということが大事なのだ。また、あるMECEの切り口で整理してみると、2つ以上のグループに同時に属しうる情報や逆にどのグループにも入らない情報が出てきたとしたら、それは切り口が悪い、ということになる。そのときは別のMECEの切り口にトライしよう。

逆に、自分としてはこういう切り口で説明したいと思って材料を集めたはずなのに、グルーピングをしてみると、思わぬ漏れがあることに気づく場合もあるだろう。

　仮にここに10個の情報があったとする。①市場の情報、②競合の情報、③商品の情報と分けたらどうだろう。これは、グルーピングしたことになるだろうか。

　答えは否である。なぜなら、事業というものを全体集合としたとき、市場、競合、自社であれば3CでMECEと見なせるが、市場、競合、商品では、商品に問題がある。世の中にある商品は、競合の商品か自社の商品のいずれかに分かれるわけで、②と③の情報に重複が出てしまう。また、自社の商品以外の情報を整理すべきグループもない。手元の情報を単に仕分けするのではなくて、分けたグループ同士が相互にMECEな関係になっていることがずっと重要なのだ。

　実際のビジネスの場面では、雑多な情報がくっきりとMECEにグルーピングされることは稀だろう。どちらのグループに入れるべきか迷う、という場合の方が多いかもしれない。しかし、多くの場合、厳密に情報を仕分けすることに意味はなく、まずは大きく括ってみて、そこにタイトルをつけて全体を見やすくすることに意味がある。まさに部分集合とその集積としての全体集合を明示することに、グルーピングの意義がある。

　グルーピングもMECE同様、身の回りの題材でいくらでも練習でき、練習によってスピードも精度も高まっていく。手始めに、今日の新聞のテレビ欄の番組をグルーピングしてみてはどうだろう。

COLUMN
グルーピングの留意点

「この人はAとBというMECEな切り口で、全体を2つに分けて説明している。しかし、全体で10個ある話のうち、Aが1でBが9といった具合に分かれ、極めてバランスが悪い」というような場合、果たしてこのMECEはコミュニケーションにおいて有効だろうか。

残念ながらこの切り口は、MECEではあるが、受け手にとってはあまり意味がない（もちろん、その対比を際だたせる、あるいは、この分け方には意味がない、ということを明示するのが目的であれば別だが）。この分け方は単に10個の要素を2つのグループに整理したに過ぎず、相手にわかってもらおうとするなら、9つの要素が属するBをさらにグルーピングしなければならない。

このように、整理、分類としては正しくMECEになっていても、相手に自分の結論を理解してもらうというときに、それが適切な切り口になっているのかをぜひ考えてみたい。

究極のグルーピングは「それ」と「それ以外」だ。しかし、多くの場合、「それ以外」をさらに整理しなければ意味がない場合が多い。あくまで、あなたの結論を相手が理解する上で、全体像をわかりやすく見せることがグルーピングの目的なのだ。

集中トレーニング 1

1 MECEに強くなろう

ある概念を重複・漏れ・ずれのない部分の集合体と捉える練習をしよう。

例題

ある日、あなたは総務部長からこんな相談をされた。

「新しいオフィスビルに、飲み物の自動販売機を設置しようと思う。最近、自動販売機で買える飲み物の種類もずいぶん増えている。最近では、お客様に出す飲み物も自動販売機を利用するケースが増えているから、あまり粗末なものでも困る。せっかくなら、社員に喜んでもらえるような自動販売機を置いて仕事の生産性も高めて欲しい。そこで、いま、自動販売機で買える飲み物にはどんなものがあるのか、全体像がつかめるように教えてくれないか」

確かに、世の中には飲料の自動販売機は数が多いし、そこで売られている商品も多様だ。あなたならどのような切り口で、世の中にある自動販売機で買える飲料をMECEに整理するだろうか。

◇── 考え方と解答例

Step 1　課題＝全体集合が何かを確認する

すべては課題の確認から始まる。この場合、課題は「世の中にある自動販売機で買える飲み物は全体としてどのように整理できるのか」だ。自動販売機で買える飲み物を全体集合として、大きな漏れも重複もないMECEな部分集合に分ける切り口を探すことが求められている。

そしてもう1つ、MECEに整理して伝えることで、相手の目的に答えるこ

とが大事だ。いま総務部長は、社員のリフレッシュや来客へのお茶出しなどさまざまな場面を想定して、新しいオフィスビルにどんな飲み物が買える自販機を置くのがよいのかを考えるヒントとして、あなたにこの課題を投げかけている、ということを頭の隅に置いておこう。

Step 2　MECEな切り口を探す

　課題を睨んで、課題の構成要素を分解し、それぞれについてMECEな切り口を考える。次のアプローチが最も効率的だ。

　まず、「自動販売機で買える飲み物」という課題を、「自動販売機」「買う」「飲料」と分けてみて、それぞれを1つの概念としてMECEに切れないか、と考えてみる。該当するものがあれば、その切り口が「自動販売機で買える飲み物」という課題全体をMECEに整理する切り口になるかどうか、チェックする。例えば、次のように考えてみよう。

①「自動販売機」をMECEに捉えた解答例……「どこのメーカーの商品が入っているのか」「どこに置かれているのか」「何種類の商品が買えるのか」「好みで味の調整ができるのか」などが思いつくだろう。すると、次のような整理が可能になる。

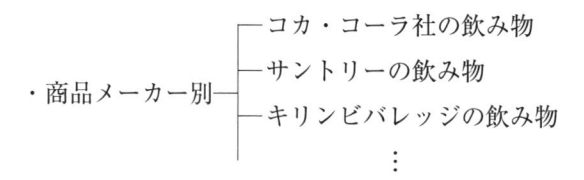

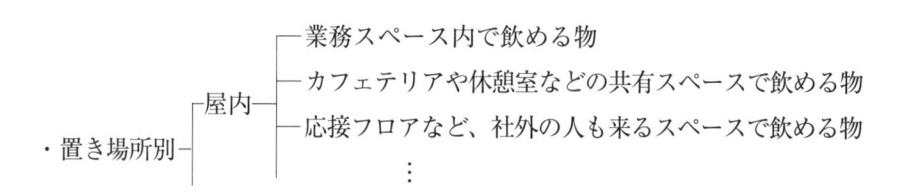

- 商品メーカー別
  - コカ・コーラ社の飲み物
  - サントリーの飲み物
  - キリンビバレッジの飲み物
  - ⋮

- 置き場所別
  - 屋内
    - 業務スペース内で飲める物
    - カフェテリアや休憩室などの共有スペースで飲める物
    - 応接フロアなど、社外の人も来るスペースで飲める物
    - ⋮

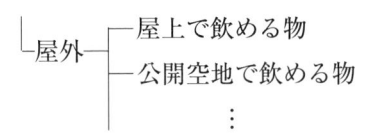

```
└─屋外 ┬─屋上で飲める物
       ├─公開空地で飲める物
              ⋮
```

② 「買う」という概念をMECEに捉えた解答例……買うからには、「いくらで買えるか」、あるいは「何のために買うのか」という観点で、次のような切り口が出てくる。

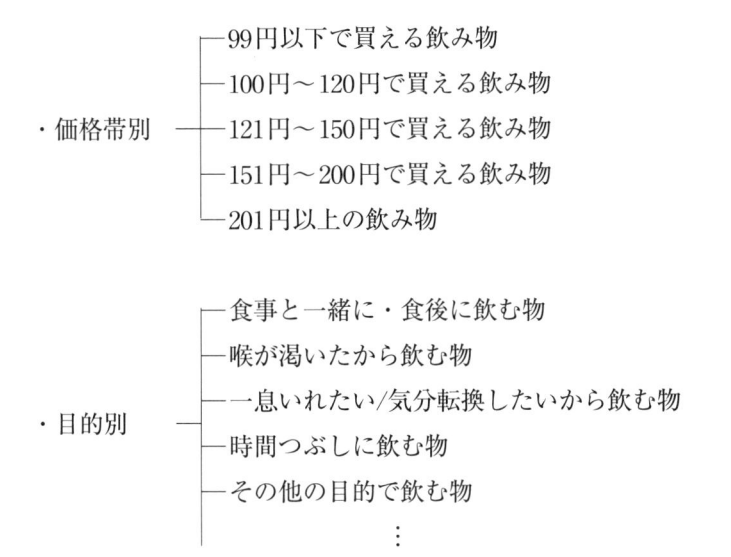

```
            ┌─99円以下で買える飲み物
            ├─100円～120円で買える飲み物
・価格帯別 ──┼─121円～150円で買える飲み物
            ├─151円～200円で買える飲み物
            └─201円以上の飲み物

            ┌─食事と一緒に・食後に飲む物
            ├─喉が渇いたから飲む物
・目的別 ────┼─一息いれたい/気分転換したいから飲む物
            ├─時間つぶしに飲む物
            └─その他の目的で飲む物
                     ⋮
```

> チェック！　世の中の自動販売機で売られている飲み物をグルーピングしろ、と言われたとき、飲み物を購入する目的で整理する切り口は、実際にはなかなか難しい。お茶は食事と一緒にも飲むし、喉が渇いたときにも飲むという具合に重複が出てしまう。しかし、厳密なMECEではなくても、新しいオフィスビルに置く自販機を考えるヒントにしたい、という総務部長の目的を考えると、目的別の切り口は大いに役に立つものと言えるだろう。厳密にMECEであることに価値があるのではなく、相手

第3章　重複・漏れ・ずれを防ぐ

にとって価値のあるMECEであることが大事なのだ。

③「飲み物」そのものをMECEに捉えた解答例……「どれくらいの量か」「どんな容器に入っているか」といった切り口が思いつく。ダイエットをしている人なら「どれくらいのカロリーか」というのもよい切り口だし、通年で飲むのか、季節限定で飲むのかなども考えられる。

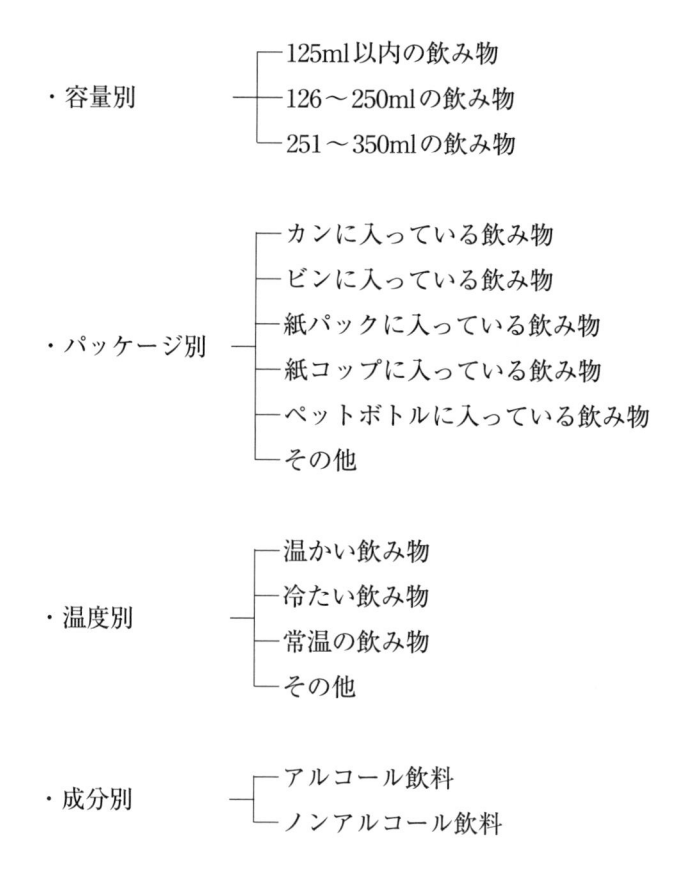

- 容量別
  - 125ml以内の飲み物
  - 126〜250mlの飲み物
  - 251〜350mlの飲み物

- パッケージ別
  - カンに入っている飲み物
  - ビンに入っている飲み物
  - 紙パックに入っている飲み物
  - 紙コップに入っている飲み物
  - ペットボトルに入っている飲み物
  - その他

- 温度別
  - 温かい飲み物
  - 冷たい飲み物
  - 常温の飲み物
  - その他

- 成分別
  - アルコール飲料
  - ノンアルコール飲料

チェック! どうしてもMECEの切り口が思い浮かばなかったら、次のような方法もある。

緊急避難 1
　全体集合に入る部分集合の特徴を1つ思い浮かべ、それと対になる概念は何か、それ以外はどのような部分集合なのかを考えてみる。「A」と「A以外」はどんなときでもMECEなので、「A」を決めた上で、A以外をさらに分けられないか、と考えてみる。A以外を分けられないと、その切り口は意味のない場合が多いので注意。

緊急避難 2
　思いつくままに要素を列挙してみて、列挙したものをグルーピングし、切り口を抽出する。これは最もやりやすいアプローチだが、漏れも重複も出やすく非効率なアプローチ。最後の砦にとっておきたい。

> チェック！　切り口の定義は明快か、人によって解釈にずれが出ないかをチェックする。例えば、スポーツドリンクというカテゴリーを作ったとしよう。ある商品を取り上げたとき、それがスポーツドリンクなのか、そうでないのかという判断が人によって分かれてしまっては、相手に自分の考えを伝えるときのMECEの切り口として不適切だ。この場合は、どういうものをスポーツドリンクとするのか、定義する必要がある。

> チェック！　例えば、飲料の成分という切り口が見つかると、ビタミンCが入っている、入っていない、カルシウムが入っている、入っていないなど、いくつでも切り口が思い浮かぶだろう。ここで「相手の目的に答える」ことを思い出して欲しい。ビタミンCの有無やカルシウムの有無は、確かにMECEな切り口ではあるが、総務部長の今の問題意識に答える切り口にはならないだろう。
> 　成分分解で意味があるのは、アルコール、ノンアルコール、お茶・コーヒー系、果汁系、乳飲料系、その他程度までだろう。

問題 1

　世の中にはいろいろな「お弁当」があり、そのバラエティは増えるばかりだ。「世の中にあるお弁当」を全体として、どのように整理できるだろうか。MECEに整理してみよう。

> **ヒント1** のり弁、しゃけ弁…と挙げているようでは道は遠い。お弁当は買うものだけか？　また、買いに行くものだけか？

> **ヒント2** 「買うお弁当」の中をさらに分解するとき、何に着目して分解するか？「お弁当」そのものの何かか？　「買う」を５Ｗ１Ｈで分解すると？

問題 2

　最近、テレビの番組が飛躍的に増えている。新聞のテレビ欄も拡大の一途だ。いまあるテレビ番組をMECEに整理してみよう。

> **ヒント** テレビ番組の何に着目するか？　テレビ局？　時間帯？　種類？　電波の種類？

問題 3

　「顧客への営業活動」は全体としてどのように捉えることができるか。あなたの企業が実際にやっているかどうかは別として、理論的にはどのように捉えられるかMECEに整理してみよう。

> **ヒント** 「顧客への営業活動」を「顧客」と「営業活動」に分け、それぞれを

MECEに切ってみよう。誰に対して？　何を？　どこで？　など、これも5W1Hを考えると、営業活動の切り口も10くらいは出てくるはずだ。

問題4

あなたの会社が顧客に提供しているサービスを、あなたの会社を全く知らない人に説明することを想定し、全体像がわかりやすいようにMECEに整理してみよう。

> ヒント　全体集合は企業が顧客に提供しているサービス、言い換えれば、「顧客が受けることのできるサービス（価値）」ということだ。決して、あなたの会社が行っている「業務」ではない。

問題5

あなたの仕事全体を、その内容を全く知らない人でもわかるように、MECEに整理してみよう。

> ヒント　あなたは自分の仕事の何に着目するか？　仕事の性質？　種類？　相手？　また、その切り口は、あなたの仕事を全く知らない相手から見たときに全体像が見えやすいか？

2 グルーピングに強くなろう

一見、脈略なく並んだ情報を、MECEを活用して全体像が見えやすいようにグルーピングしよう。

例題

アルファ銀行の支店の店頭には、顧客からの声を聞くためのボックスが設けられている。あなたの支店では今月、次のような声が寄せられた。あなたならどのように整理するだろうか。MECEにグルーピングしてみよう。

1. 案内係が元気よく、気持ちよい。
2. 置いてある雑誌が古い。
3. 窓口の女性の説明が的確。
4. ローカウンターが少なく、相談に行くと待たされる。
5. 店のソファーが汚い。
6. キャラクターが可愛い。
7. 商品に独自性がない。
8. ATMの機種が古い。
9. 電話の取り次ぎに長く待たされる。
10. ATMの待ち時間が短く、すぐに用が足せる。
11. 駐車場が広く便利。
12. キャラクターを使った粗品が少ない。
13. 口座を作っても、何も提案されたことがない。
14. 二言目には本部に聞かないとわからないと言う。
15. 渡される書類に抜けがあり、一度で用が済まない。

◇── 考え方と解答例

Step 1　課題＝全体集合を確認する
　課題は「営業店に寄せられた顧客の声はどのように整理できるのか？」であり、全体集合は、上記15の顧客の声ということになる。

Step 2　MECEの切り口を探す
　いきなり個々の情報の仕分けに突入せず、課題からMECEな切り口を先に連想する。「営業店に寄せられた顧客の声」という課題から、MECEな切り口を連想してみる。

①初級編の解答例
　現状に対する「お褒め」と「おしかり」、「満足点」と「不満点」という切り口が思い浮かぶようになれば、MECEがあなたの頭に定着した証拠だ。MECEの切り口を考える際には、個々の情報の細かな表現にとらわれずに、それらの情報を集めた目的を考えてみよう。この場合は、顧客の声からサービス改善のヒントを得ることが目的であろう。すると、

　　┬─満足点：1、3、6、10、11
　　└─不満点：2、4、5、7、8、9、12、13、14、15

と分けられ、これで一応、15の要素を漏れなく重複なくグルーピングできた。

> **チェック!**　「現状あるものに対する評価」と「いまないものへの要求や提案」という切り口が思いついたとしよう。概念的には確かにMECEだ。しかし、ここにある15の顧客の声はすべていまあるものへのコメントなので、「いまないものへの要求や提案」というグループに入るものは何もない、ということになる。これでは切り口自体がいくらMECEでも、

グルーピングの切り口としては適当でない、ということだ。

Step 3　大きく括ったグループの中をさらにMECEに分けられないか考える

　現状では、不満点に含まれる要素の数が明らかに多く、顧客の不満点がどのようなところにあるのか、全体像をつかみにくい。そこで、不満点の中がさらにグルーピングできないか、と考えてみる。すると、

不満点 ─┬─ 駐車場やATMなどハードに関するもの：2、4、5、8
　　　　└─ 人の対応や商品そのものなど
　　　　　　ソフトに関するもの：7、9、12、13、14、15

と、不満点をさらに2つにグルーピングできた。

②中級編の解答例

　最初のMECEの切り口を満足点と不満点ではなく、ハードとソフトを思い浮かべた読者もいるだろう。その場合、ハードに関するものに含まれる要素を見ると、雑誌と駐車場など、ハードなモノとは言え、ずいぶん性格が違う。そこでハードとソフトのそれぞれのグループの中をもう一段、整理してみる。すると、

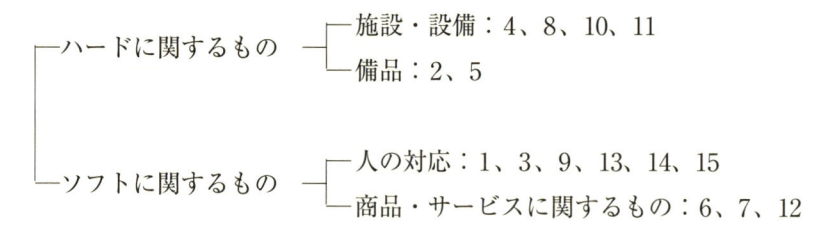

┬─ ハードに関するもの ─┬─ 施設・設備：4、8、10、11
│　　　　　　　　　　　└─ 備品：2、5
└─ ソフトに関するもの ─┬─ 人の対応：1、3、9、13、14、15
　　　　　　　　　　　 └─ 商品・サービスに関するもの：6、7、12

と分けられる。施設・設備、備品は本当にMECEか、商品は本当にソフトか、という疑問がわくかもしれない。大事なことは、相手から見たときに全

体像がつかみやすいこと。施設・設備、備品が厳密にMECEであることよりも、ハードの中が、その規模や要するコストで大・中・小と分けられているという共通の感覚が相手と共有できればそれでOKだ。

Step 4　漏れているもの、複数のグループに入っているものがないか確認する

　グルーピングを再度眺めてみて、複数にまたがる情報がないか、どこにもグルーピングされない情報がないか、切り口自体はMECEでも1つのグループに含まれる要素が極端に多くないかを、再度チェックする。

③上級編の解答例

　顧客の声というものは改善に役立てなければ意味がない。このような視点に立つと、顧客から寄せられた不満点を整理する切り口として、対応や改善の「主体」や「難易度」という切り口が見えてくる。例えば、

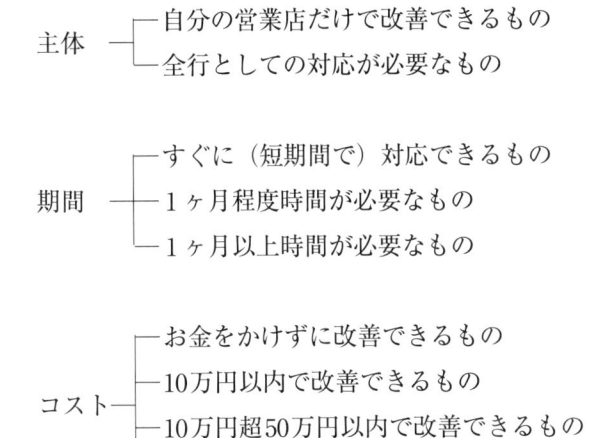

主体 ─┬─ 自分の営業店だけで改善できるもの
　　　└─ 全行としての対応が必要なもの

期間 ─┬─ すぐに（短期間で）対応できるもの
　　　├─ 1ヶ月程度時間が必要なもの
　　　└─ 1ヶ月以上時間が必要なもの

コスト ─┬─ お金をかけずに改善できるもの
　　　　├─ 10万円以内で改善できるもの
　　　　├─ 10万円超50万円以内で改善できるもの
　　　　└─ それ以上費用が必要なもの

などが考えられる。これらの切り口は、改善という次のアクションに向けて

15の顧客の声を整理したものであり、ビジネスにおいて極めて使い勝手のいい切り口と言えよう。

> **チェック!** MECEの切り口がどうしても見つからなかった場合には、共通の性格を持つ要素をひとまとめに仕分けし、そのグループにグループ名（タイトル）をつけてみる。それをヒントにMECEな切り口を探すやり方もある。グループ名が全体でMECEになるよう、チェックすること。

問題 1

以下は、ある独身男性の1ヶ月の収入の使いみちを列挙してもらったものだ。これらの月給の使いみちの内訳をグルーピングしてみよう。

＜月給の内訳＞
家賃、公共料金、お見合いシステムの会費、旅行、社員食堂の食券代、エステ・ヘアサロンの費用、ガソリン代、駐車場代、小遣い、食費、交際費、合コン費用、生命保険、車の保険、定期預金、社内預金、本代、英会話学校の月謝

> **ヒント** 費目にばかり目を奪われずに、その費目の目的や性格を考えると大きな整理の切り口が見えやすい。例えば、この中には、毎月定額で出ていく費用と、金額が変動するものが存在する。

問題 2

以下は、「ドッグフード業界の現状」というテーマのもとに集められた情報だ。どのようにグルーピングできるだろうか。

＜ドッグフード業界の現状＞
1. 飼い主はドッグフードの成分にこだわり、化学調味料や保存料を使った商品は不評である。
2. 動物薬メーカーは、飼い犬の健康維持を前面に打ち出した商品を次々に投入し、商品数は3年前の5倍になっている。
3. 当社が昨年パテントをとった調合飼料は、新陳代謝を促す効用があると、昨今専門家の中で注目を集め、ペット雑誌などで紹介され始めている。
4. 動物病院などを対象に治療食を専門に扱っている医療資材メーカーもあるが、一般チャネルには卸していない。
5. ペット用品メーカーの既存の商品は、味のバラエティがない、犬がすぐに飽きてしまうなど、飼い主の不満は大きい。また、差別化が難しいため価格競争になりつつある。
6. 当社は従来より、ドッグフード市場において、手軽な価格の安心できるブランドとして評価されている。また、コスト競争力も高い。
7. 動物用飼料メーカーでは、1社が犬の肥満予防のペットフードを出しているが、通常のドッグフードと同様に量販店で売られており、健康食としての差別化がなされていない。
8. ここ数年、ペットとして犬を飼う人の人口は急増し、しかも動物というより家族の一員として接する飼い主が増えている。ペットにかける費用も年々増大している。
9. 当社は近々、スマート＆ヘルシーをうたった、カロリーを抑えたドッグフードを市場に投入する。
10. 犬は家族の一員という意識から、できる限りおいしくて体によい、バラエティのある食事をさせたい、と考える飼い主が増えており、毎日違うドッグフードを与えている飼い主の割合は5年前の4倍にもなっている。
11. ドッグフードの商品数は年々増えているが、飼い主はいろいろな商品を仲間の口コミで試しており、シェアの突出した商品があるわけではない。

> **ヒント** 事業の現状を全体集合としたときに、これを捉えるMECEの切り口が何か、思い出してみよう。

問題 3

　あなたは食品会社のパスタソース事業部に勤務することになった。早速、部内資料を読ませてもらおうと思い立ち上司に相談すると、「まずは、うちの新製品、ミートソースライトについて理解して欲しい。たくさん分析資料があるので、次の図表タイトルを見て必要なものを言ってくれ」と言われた。そこでどのような資料があるのか、グルーピングをして全体像をつかんでみよう。これはヒントなしでやってみよう。

```
＜新製品ミートソースライト関連資料一覧＞
資料１：パスタとパスタソースの市場規模の推移
資料２：競合B社の売上高推移とその背景
資料３：ミートソースライトの商品コンセプト
資料４：パスタソースに関する消費者の変化
資料５：ミートソースライトの取り扱いチャネル
資料６：競合A社のパスタソース売上高推移
資料７：パスタソースのパッケージ・販売チャネルの動向
資料８：当社の低価格帯商品群と競合同種商品の価格比較
資料９：競合C社のドネロラインの現状
資料10：ミートソースライトのプロモーション
```

第4章 話の飛びをなくす

　自分の結論を説明するとき、私たちはごく自然に、「よって」「したがって」「このように」という言葉を使っている。その際に、「よって」や「したがって」、あるいは「このように」の前後の話が常識的な思考回路で考えてみてもつながらないと、話が飛んでいる、つじつまが合わない、と感じるだろう。そうなると、相手に理解することを拒否されるか、伝え手も受け手も話の飛びに気がつかないままに、話が"あさって"の方向に進んでしまうことになりかねない。

　「よって」「したがって」「このように」の前後で話に飛びがなく、伝え手の言いたい結論と根拠、結論と方法のつながりを、相手にすんなりと理解してもらうことの重要性は言うまでもない。そのための技術がSo What? /Why So? だ。

1 So What? /Why So? ——話の飛びをなくす技術

　So What? とは、手持ちの情報や材料の中から「結局どういうことなのか？」を抽出する作業だ。言い換えれば、「よって」「したがって」「このように」の前に述べた情報やネタの中から、自分が答えるべき課題に照らしたときに言える重要なエキスを抽出する作業のことだ。「よって」「したがって」「このように」の後にくる事柄は、前にある情報をSo What? したものになる。

図4−1 ❖ So What?/Why So?とは

So What?：
手持ちのネタ全体、もしくはグルーピングされたものの中から、課題に照らした時に言えることのエキスを抽出する作業。
Why So?：
So What?した要素の妥当性が、手持ちのネタ全体、もしくはグルーピングされた要素によって証明されることを検証する作業。

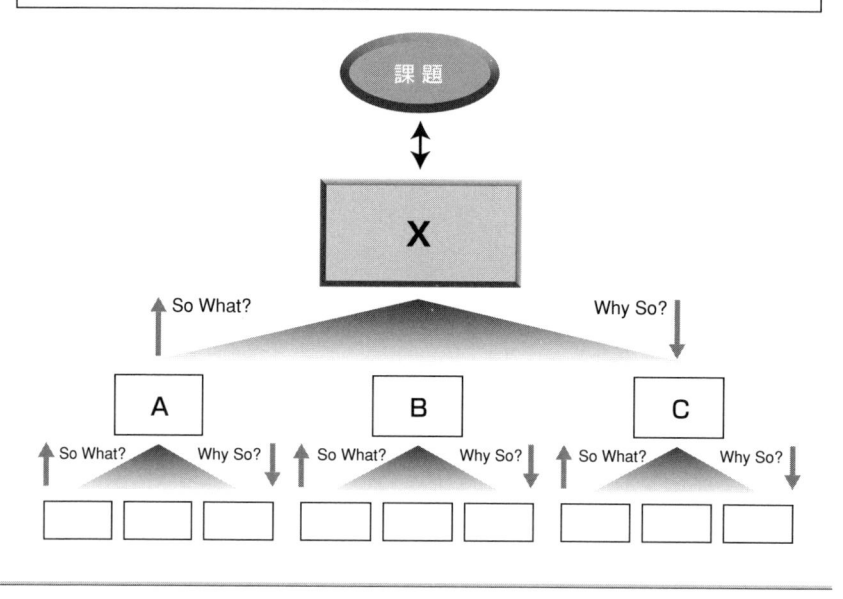

```
        課題
         ↕
         X
   So What? ↑   ↓ Why So?
     A       B       C
  ↑  ↓    ↑  ↓    ↑  ↓
  □  □    □  □    □  □
```

　大事なことは、So What?したものに対して「なぜそういうことが言えるのか？」と質問を投げかけたとき、手持ちの情報、用意された材料できちんと説明できなければいけないということだ。この、「なぜそのようなことが言えるのか？」「具体的にはどういうことか？」と検証・確認することがWhy So?である。図4−1で言えば、A、B、Cという情報をSo What?したものがXであるとすると、XにWhy So?と質問したとき、A、B、Cがその答えになっているという、背中合わせの関係を作ることが、話の飛びをなくす秘訣。結論と根拠、結論と方法、あるいは根拠や方法の中にいくつかのレベルがあるとすると、そのレベル間の関係をこのような背中合わせの関係に

図4−2 ❖ 当社各商品の収益

(単位：億円)

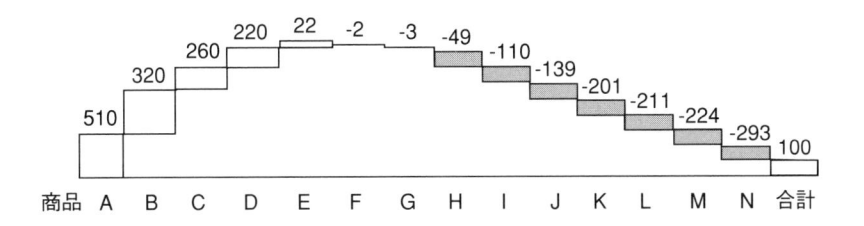

```
          220  22   -2   -3  -49
      260                      -110
  320                              -139
                                       -201
510                                         -211
                                                 -224
                                                      -293
                                                           100
商品 A   B    C    D    E    F    G    H    I    J    K    L    M    N   合計
```

作るわけだ。

　So What? ／Why So? は、結論と根拠といった答えの要素間の関係のみならず、1枚の図、あるいは1つの文章の単位でも活用できる技術だ。簡単な図でSo What? ／Why So? の感覚をつかんでみよう。図4−2を見て、この図から何が言えるか、So What? を考えてみよう。「この図から○○ということが言えます」と説明するイメージだ。その際、So What? した内容に、本当にそんなことが言えるのか、Why So? と尋ねたときに、この図できちんと説明できる、ということが大切だ。次の2つはどうだろう。

・全14商品のうち、収益が上がっているのは5つだけで、残りの9つは赤字だ。
・A、B、C、Dの4商品で上げた収益の7割を、K、L、M、Nの4商品で食いつぶし、結果的に100億円の収益しか上がっていない。

　いずれも、どうしてそう言えるのかと尋ねると、確かにこの図でWhy So? を説明することができるので、2つとも正しくSo What? されたものである

第4章　話の飛びをなくす

と言えよう。それでは、次のものは正しいSo What?と言えるだろうか。

・商品Jの収益の落ち込みを、商品Cでカバーしている。
・当社の収益性を高めるために、100億円以上の赤字を出している商品は撤退を検討し、高収益の4商品を中心とした事業展開をするべきだ。

それぞれにWhy So?と尋ねたときに、この図で説明ができるだろうか。前者について見ると、確かに商品Cの収益は商品Jの赤字よりも大きいが、Cの赤字をJがカバーしているか否かは、この図からはわからない。また、後者については、確かに赤字商品が65％近くを占めせっかく生み出した収益を食っていることを考えると、赤字商品は撤退した方がよさそうだ、とは思える。しかし、なぜ100億円が撤退の基準となるのか、本当に撤退すべきなのか、この図の情報からは判断のしようがない。つまり、この2つはいずれもWhy So?をこの図だけからは説明できず、So What?／Why So?の関係が成り立たず、正しいSo What?ではない。

そんな馬鹿なことが、と思われるかもしれないが、上記の例は某企業の業務資料に実際にあったものなのだ（もちろんデータは架空のものだ）。

文書であっても口頭での説明であっても、提示した情報だけではWhy So?を説明できないとなると、受け手にとってははなはだわかりにくく、話のつながりが見えないコミュニケーションになると考えるべきだ。説明をしながら、「ここには該当する情報がないのですが」とか「実はここにはないこのようなデータも併せて考えると」などの言葉があなたの口からついて出たときは要注意だ。受け手は提示された材料をもとに理解しようとしているのに、並べられた材料をどう組み合わせてSo What?してみてもあなたの結論にはたどり着けず、またあなたの結論を理解するために、Why So?と何度検証してみても納得ができない、ということになってしまうからだ。

◆── So What? /Why So? する習慣をつける

　MECEは、基本的な切り口の種類を覚え、次第に増やしていけば、だんだんに身についていくものだ。しかし、So What? /Why So? は完全に頭の中の作業であり、何かを覚えればできるというものではない。この技術を使いこなすようになるためには、日頃から「要するにここから何が言えるのだろう」「要するに、この話で大事なことは何だろう」と考える癖をつけるしかない。

　「クライアントからお電話がありまして……」と延々と続く部下の話に、「要するにクライアントは何と言ってたの？」と質問をした経験のある方も多いだろう。要するに、と聞かれて絶句してしまう部下も困りものだが、もっと質が悪いのは「要するに」とまとめた中身が正しくない場合だ。

　「要するにこういうことです」と言うので、それを信じてクライアントに対応すると、どうも話がかみ合わない。よくよく確かめてみると、部下の言った「要するに」がずれているではないか、という場面だ。So What? をしたら、必ずWhy So? で確かめること。これはビジネス上の重要な習慣だ。また、「部下の飲み込みが悪い」「部下がわかってくれない」と嘆く中間管理諸氏は多いが、こういう人に限って、上司から言われたことをそのまま部下に伝えるだけで、自分の言葉でSo What? できなかったり、Why So? がないような指示を出している。組織の中で情報の結節点に身を置く中間管理職のSo What? /Why So? の能力は、組織のコミュニケーション能力を大きく左右する。

　飲み込みが早いと言われる人の多くは、ものを読んだり聞いたりしたとき、それが要するにどういうことなのか、大事なポイントをすばやく的確に抽出できる人であり、So What? する力が高い人だ。

　新聞や雑誌を読むときは、So What? /Why So? の絶好の練習機会だ。ぜひ、So What? を意識してもらいたい。

2 2種類のSo What?/Why So?

　MECEに、完全に要素分解できるものと約束事としてのMECEがあったように、So What?/Why So?にも2つの種類がある。そこにある事象や事実のポイントを正確に説明する「観察」のSo What?/Why So?と、それらの事象や事実を踏まえ、そこにある共通項やメカニズムなどを浮き彫りにする「洞察」のSo What?/Why So?だ。

COLUMN

So What?/Why So?にあうんの呼吸は禁物だ

　次の図を見てみよう。この図を見て、外資系小売企業の日本市場への進出について何がSo What?できるか考えてみよう。「この図から○○ということが言えます」と説明するイメージだ。その際、So What?したメッセージに、本当にそんなことが言えるのか、Why So?（なぜそのようなことが言えるのか）と尋ねたときに、この図できちんと説明できる、ということが大切だ。

　この図のSo What?は1つではない。次のようなことが言えるだろうか。

・1990年代に入り日本に進出した主な外資系小売業の中で、アメリカ企業が全体の80％近くを占めている。
・1999年の後半以降、欧州企業の進出が続いている。
・1990年代の外資系小売業の日本進出は、その約半数が1999年と2000年に集中している。
・1997年ごろまでは、アウトドア、玩具、文具など、業種が限られていたが、ここ2年ほど、家具、化粧品など、業種が広がってきている。

　これらはいずれも、この図からWhy So?を説明できるので、正しくSo What?されたものと言える。

　同じものを見ても、見る側の興味や関心がどこにあるかによって、So What?したものが異なる可能性は高い。ところが企業の事業計画書などを拝見すると、データや分析が並んでいても、そのデータや分析をどう読むのか、そこから何を読み取らせたいのか、So What?を明示してあるものはきわめて少ない。「この図を見せれば一目瞭然」と考えるのは禁物だ。それはSo What?を受け手の解釈に委ねてしま

◆——「観察」の So What? / Why So?

　話の飛びの原因は、伝え手が思ってもいないような小さなところに潜んでいる。図表やグラフなどで表されているデータであれ、記事や社内文書などの文章化された情報であれ、「要するにここから何が言えるのだろう」ということを誰もが同じように正しく読みとっているのか、と言うと、必ずしもそうではない。
　人間は誰しも自分の関心事や、自分が日頃慣れ親しんでいる文脈に沿ってうことになるからだ。「見ればわかる」と安心せずに、「要するにここから何が言えるのか」を明示しておくことが重要だ。

日本に進出した主な外資系小売業

進出年月		社名	主な商品
1991年12月	🇺🇸	トイザらス	玩具
92年11月	🇺🇸	エル・エル・ビーン	アウトドア衣料
94年 9月	🇺🇸	エディー・バウアー	アウトドア衣料
95年 9月	🇺🇸	GAP	カジュアル衣料
96年 7月	🇺🇸	スポーツオーソリティ	スポーツ用品
97年11月	🇺🇸	オフィスマックス	文具・事務用品
12月	🇺🇸	オフィス・デポ	文具・事務用品
99年 4月	🇺🇸	コストコ	ホールセールクラブ
7月	🇺🇸	ルームズ・ツー・ゴー	家具
10月	🇬🇧	ブーツ	ドラッグストア
11月	🇫🇷	セフォラ	化粧品
2000年 4月	🇺🇸	レクリエーション・イクイップメント・インク	アウトドア用品
12月	🇫🇷	カルフール	総合スーパー

『日経ビジネス』2000年7月24日号 P.36から転載。

第4章　話の飛びをなくす

物事を解釈しようとする。ある情報が示す事実を、相手も同じように「観察」しているとは限らない。わざわざSo What? を伝えなくても見ればわかる、と思っているところに落とし穴がある。

　企業の事業計画などを見ると、多くのデータはタイトルがついていれば上出来だ。そのデータから読み手に何を読みとらせたいのか、So What? が明示されているものはほとんどない。最近、わかりやすくするために文章を極力減らし、図表化しようとする企業は多い。しかし、誰が見ても同じように理解できる図表を作り、同じように読みとらせるコミュニケーションは、文章を読ませるよりも高度なものだ。また、ビジネスにおいて、議論がかみ合わない、ということがしばしば発生する。事実認識は全く同じであり、よって立つ論が違うというのであれば、大いに議論をする甲斐がある。しかし残念ながら、同じ事実を見ながらもその認識がずれている、というケースが極めて多い。

　まずは、事実を正しく「観察」し、その「観察」の結果を受け手にも同じように理解してもらえるように明示すること。それが話の飛びを作らない第一歩である。

　「観察」のSo What? は、提示した事実を全体集合として、そこから言えることを要約する作業であり、Why So? は要約された観察結果を要素分解して検証する作業になる。先の「当社各商品の収益」（図4−2）で考えたSo What? /Why So? は、観察のSo What? /Why So? に他ならない。

　勘をつかむために、次の例題をやってみよう。

例題 1

次の図は、パスタソースを作っている A 社に関するデータだ。この図を観察し、観察の So What? を考え、Why So? で検証してみよう。

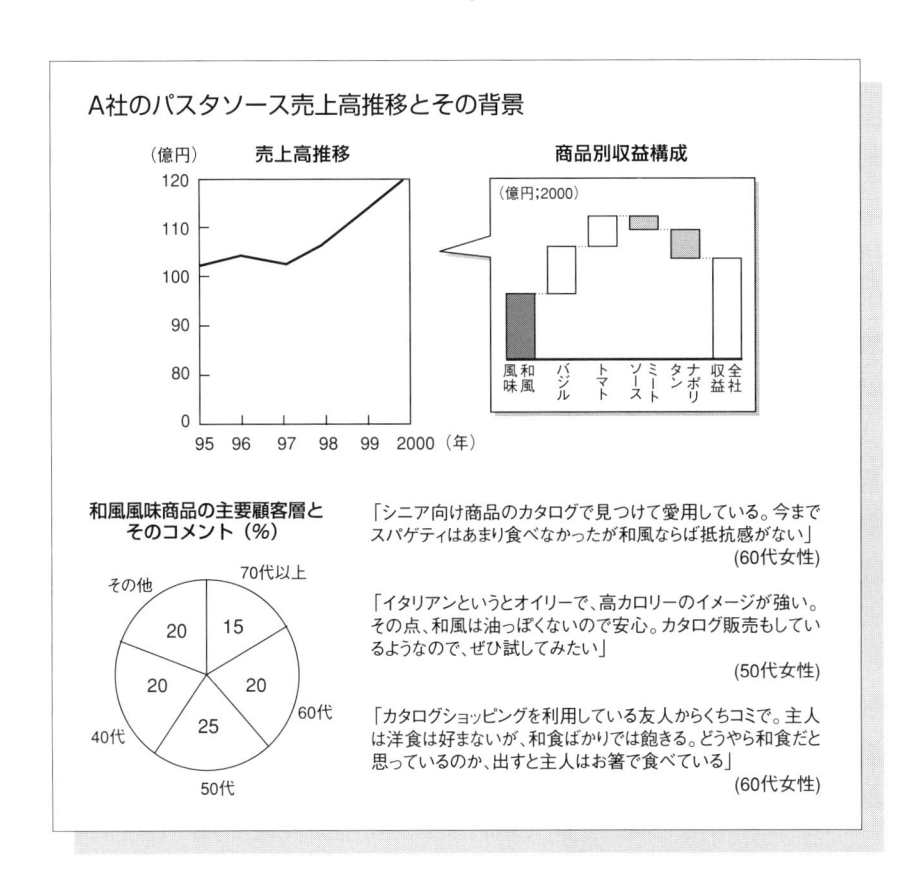

A社のパスタソース売上高推移とその背景

売上高推移（億円）

商品別収益構成（億円；2000）

横軸項目：和風風味、バジル、トマト、ミートソース、ナポリタン、全社収益

和風風味商品の主要顧客層とそのコメント（%）

- 70代以上：15
- 60代：20
- 50代：25
- 40代：20
- その他：20

「シニア向け商品のカタログで見つけて愛用している。今までスパゲティはあまり食べなかったが和風ならば抵抗感がない」
(60代女性)

「イタリアンというとオイリーで、高カロリーのイメージが強い。その点、和風は油っぽくないので安心。カタログ販売もしているようなので、ぜひ試してみたい」
(50代女性)

「カタログショッピングを利用している友人からくちコミで。主人は洋食は好まないが、和食ばかりでは飽きる。どうやら和食だと思っているのか、出すと主人はお箸で食べている」
(60代女性)

◇── 考え方と解答例

Step 1　この図表のテーマ＝全体集合が何かを確認する

So What? /Why So? においても、出発点は課題（テーマ）の確認だ。こ

第 4 章　話の飛びをなくす

れを間違えると、あさっての方向にSo What? してしまうことになる。3つのグラフからなるこの図表の課題は、「A社のパスタソース売上高推移とその背景」だ。したがって、So What? された内容は、「A社のパスタソースは、○○ということによって売上が伸びている（落ちている）」という種類のものになることが想定される。

Step 2　個々の事実を観察し、Why So? でチェックしながら So What? を考える

　このように複数のグラフがある場合、一気にSo What? しようとせずに、1つずつ、観察のSo What? をする。

　折れ線グラフは、1995年から2000年までのパスタソースの売上高推移だ。1997年頃から売上は大きく伸び続けている、ということがSo What? され、Why So? で検証される。

　棒グラフは、全社の収益を商品別に見たとき、どの商品がどのくらい収益を稼いでいるか、というグラフだ。観察すると、和風商品は最も収益が大きく、全社の収益の7割近くを稼ぎ出している、ということがSo What? /Why So? される。また、バジル、トマトと黒字であるが、ミートソースとナポリタンが赤字であるということも言えよう。

　そして円グラフは、その和風商品がどのような顧客層にどのようなポイントで受け入れられているか、が示されている。観察すると、40代以上の顧客が全体の8割以上を占め、コメントを見ると、和風という点だけでなく、シニア向けの商品カタログを共通に挙げている。

Step 3　図表のテーマに即して、個々の観察のSo What? を要約する

　「A社のパスタソース売上高推移とその背景」というテーマ、すなわち課題の答えになるように、3つのグラフの観察のSo What? を要約する。どうやら、全社の成長と和風商品の貢献、というあたりを中心に据えるのがよさそうだ。

「A社では3年前から売上が順調に伸びている。和風風味の商品が40代以上のシニア層に商品カタログを中心に支持され、いまやA社の収益の柱となっている」

このメッセージにWhy So? と尋ね、ここにある3つの事実だけで答えることができるかどうかを検証する。

> チェック! So What? する際には、相手が絵を描けるようにまとめることが重要だ。観察のSo What? が事実の要約であると言うと、やたらと短く言おう、抽象度の高い表現でもっともらしく言おう、とする人が多い。その結果、「市場は変化している」「競合は市場の変化に対応している」「当社は市場の変化に対応できていない」というようなSo What? をしがちである。
>
> しかし、これでは意味がない。なぜなら、市場がどのように、何から何に変化しているのか、競合は具体的に市場のどのような変化にどう対応しているのか、当社は具体的にどうなっていて、その取り組みは市場の変化とどのように乖離しているのかが全くわからない。このようなSo What? を聞かされても、受け手はもう一度「それって具体的にどういうことなの？」と頭の中で考えなければならなくなる。
>
> 大事なことは、あなたの観察のSo What? を聞く・読むことによって、その事実を見ていない相手があなたの観察したように事実を描くことができる、具体的にイメージできることなのだ。集中トレーニングで練習してみよう。

◆──「洞察」のSo What? /Why So?

「洞察」のSo What? /Why So? は、ある状況を示す複数のデータの中からそこに存在するであろう一定のルールや法則性を導き出したり、自社としてとるべきアクションや自社にとっての影響を考えるというように、ある情報

から、それとは種類の違う情報を引き出す作業だ。

　また、特定の課題を設定し、観察のSo What? /Why So? を睨んでみると、課題の答えに対する仮説が浮かび上がってくることがある。仮説を作るという作業も、事実を示す情報から、業界の構造や自社のやるべきことなどの事実とは種類の違う考えや判断を引き出すものであり、「洞察」のSo What? /Why So? の一種だ。

　これに対し、「観察」のSo What? /Why So? は、状況を示すデータから、要するにどのような状況なのか、という要点を、またやるべきアクションの説明から、要するにどのようなアクションをすべきなのか、という要点を抽出するものだ。すなわち、状況なら状況、アクションならアクションと、同じ種類の情報の中から要点を抽出する作業だ。ここが「観察」と「洞察」の違いである。

　では、「洞察」のSo What? にWhy So? と尋ねた答えの材料にはどのようなものがなり得るのだろうか。もちろん観察のSo What? /Why So? はその1つだ。しかしそれだけではない。誰もが共通に妥当だと認めるような世の中の常識や公理、あるいは伝え手と受け手が共通認識を持っている事柄や前提条件——例えば、企業理念や事業の前提条件など——さらには、理論的に正しいことが証明できるMECEの概念なども、洞察のSo What? に対するWhy So? に答える材料となり得る。次の例題で感覚をつかんでみよう。

例題2

　当社はパスタソースを作っている食品会社である。次の記述は競合A、B、C社の現状をまとめたものだ。各社の状況から、競合の動きについて「洞察」のSo What? /Why So? をしてみよう。

> A社：3年ほど前から売上が順調に拡大。その中で、和風風味の商品が年輩層向けの商品カタログを中心に支持され、収益の柱になっている。
> B社：コンビニで手軽に買える手作り風味のイタリアンプリマ・ソースが独身女性を中心に大人気。売上全体の半分以上を占めるまでに急成長し、B社の売上の伸びに大きく貢献している。
> C社：高級食材店チャネルに限定した高級ドネロラインが都市部でシェアを伸ばし、売上の4割を占める商品に成長し、C社の売上に貢献している。

◇── **考え方と解答例**

Step 1　課題を確認する

　洞察のSo What? /Why So? では、観察のSo What? /Why So? にも増して何についてSo What? するのか、の確認が重要だ。答えるべき課題は、「競合3社の現状から、競合の動向として洞察されることは何か」だ。

Step 2　それぞれの事実についてまず観察のSo What? /Why So? をする

　各社の情報から観察のSo What? /Why So? で特徴を考えると、

・A社は和風風味で年輩層、商品カタログでの拡販。
・B社は手作り風味の商品で独身女性がターゲット、コンビニを活用。
・C社は高級食材店のみの販売で高級商品、ターゲットは都市部。

という各社の戦い方がずいぶんすっきり見えるようになる。だが、これはまだ「観察」のSo What? /Why So? だ。

Step 3 観察の So What? /Why So? を睨んで、各社の「状況」から「一定の法則性」を引き出してみる

　各社の観察の So What? /Why So? を睨んでみると、各社ともそれぞれのやり方で好調のようだ。好調という結果が共通であることに着目し、それではうまくいっている背景に、何か一定の法則性がないか、と考えてみる。3社の共通性を考えてみると、

- 年輩層、独身女性、都市部と、各社とも狙うべき顧客・市場のターゲットが明確だ。
- 和風風味、手作り風味、高級と、そのターゲットに提供する商品に明確な特徴がある。
- 商品カタログ、コンビニ、高級食材店と、商品を販売するチャネルもそれぞれ絞り込まれている。

という、顧客ターゲット、商品、チャネル、そして成果が出ている、という4つの共通点が浮かび上がる。これを So What? してみると、解答例としては、「競合各社は、特徴のある商品と売り方で、特定の顧客セグメントをつかみ、売上の拡大、収益向上を果たしている」が考えられる。

Step 4　Why So? で検証する

　この洞察の So What? に Why So? と尋ねると、各社の観察の So What? と各社の具体的な情報がその答えとなる。これで適切に洞察の So What? /Why So? ができていることが確認できる。

◆——洞察の So What? は観察の So What? なくしてならず

　「事実は事実として、私はこう思うんですよ」などと将来のシナリオを話されると、その人には見えないものが見えているようで、洞察の So What?

の方が観察のSo What? より価値があるように思いがちだ。しかしこれは大きな過ちだ。

　筆者はさまざまな企業のコミュニケーションの実態に触れる中で、事実をきっちり観察し、正しくSo What? をできる人は意外なほどに少ないという認識を持っている。観察のSo What? /Why So? を人に伝えようと思えば、最終的には話すなり書くなり、文字情報に置き換えることになる。それを相手が読んだり聞いたりしたときに、伝え手自身が考えたのと同じように理解できるように書ける、話せる伝え手は、率直に言って少ない。特に、1つの業務の経験、業界の経験が長ければ長いほど、それまでの経験や思いこみがバイアスとなって、事実を観察して、Why So? に耐え得るSo What? を導き出すことは難しくなる。この点を肝に銘じてもらいたい。

　確かに、誰も考えてもみなかったような突飛なアイデアは注目を集めるし、クリエイティブにも見える。だが、多大なリスクやコストが伴う場合、単なる突飛なアイデアを本当に相手が納得するかどうかは別問題だ。重要なのは、一見、突飛に見えるアイデアを、話の飛びなくわかりやすく説明できる、すなわち相手のWhy So? に答えられることなのだ。そのとき、Why So? の答えが、「これはあくまで私見ですが」とか「仮にこういうことがあるとして」という仮定を置かなければならないものだったり、世の中の8割の人が常識的に考えてみてそうは思えないものでは、人は説得できない。

　優れたコミュニケーターとは、誰も思いつかなかったような斬新なアイデアを、誰もが理解できるように説明できる人だ。それは、正確な観察のSo What? /Why So? の上に、新しいMECEの概念で全体像を俯瞰し、洞察のSo What? /Why So? をしたときに生まれる可能性が高いのだ。

集中トレーニング 2

1 「観察」の So What? /Why So? に強くなろう

「観察」の So What? /Why So? が正しくできるように練習しよう。「観察」の So What? /Why So? の考え方、解き方については、本文97ページの例題の解説が参考になる。これをヒントに次の問題を解いてみよう。

問題 1

次の記事は、再生を図る総合スーパーのトップに聞く、という趣旨で書かれたものだ。これを読んで、渡邊氏の論点を So What? してみよう。

渡邊紀柾西友社長に聞く

西友が扱う分野の一つひとつが専門店、カテゴリーキラー、ディスカウントショップに蝕まれてきた。割安な価格でワンストップショッピングができるため集客力があった総合スーパーが、今では割安感、品揃え、ライフスタイル提案の面で競争力を失ってしまった。何でも一通り揃えた総合スーパーではなく、しっかりした食品と非食品の強い部分のみに絞って展開しなければ、競争力は取り戻せない。

まず、総合スーパーが専門店を自社開発することが必要だ。西友は、DAIKと名付けた日曜大工関連の売り場を展開しているが、ショッピングセンターに専門店として出店できる。これはその一例で、衣料品などについても同様の展開を考えていく。自社で足りない分野は、西友グループの専門店、セゾングループの専門店、資本関係のない専門店と提携を考えていけばいい。

店舗の定休日を減らしたり、営業時間を深夜まで延長することで、営業機会の拡大にも可能性が広がっている。とりわけ、1999年12月から一部で開始した営業時間の延長は、実施している店舗では売上高が伸びた。駅前やバスターミナルにある店舗73

店で、夜9〜11時まで営業している。商圏内にそれまでの営業時間に買い物ができなかったお客がかなりいたということだ。

酒、おつまみ、総菜、弁当など、コンビニエンスストア的な使われ方が目立つ。西友をコンビニと比べれば、生鮮食品があること、種類が多いことが違う。立地によっては、電器や衣料品を買いに夕食後に来店するお客が目立ち、非食品の売上げが伸びている店舗もある。営業時間の延長が西友の店舗を強くする。

出所：『日経ビジネス』2000年5月8日号　P.35より転載。

> **ヒント1** 観察のSo What?でもまずやるべきことは課題（テーマ）の確認だ。この場合、どのような課題の答えになるようにSo What?をすればよいだろうか。

> **ヒント2** So What?は短ければよい、というものではない。課題に照らして複数の論点があれば、それを要約すればよい。

問題2

ウイスキー市場には、メーカーが酒屋に卸してそれを最終消費者が購入して飲用する家庭用市場と、メーカーがレストランやバーなどに卸し、そこでさらに販売される業務用市場に分かれる。次の図は、それぞれの市場規模を100としたとき、顧客がウイスキーを購入する際に銘柄指定をして購入する割合を比べたものだ。このようなウイスキー市場の特色を観察のSo What?してみよう。

なお、銘柄指定率は当社の銘柄を指定した比率ではなく、銘柄指定という購買行動をとる顧客の比率だ。それぞれの市場規模はわからない。

ウイスキーの市場別銘柄指定率（％）

	家庭用市場	業務用市場
	80	30

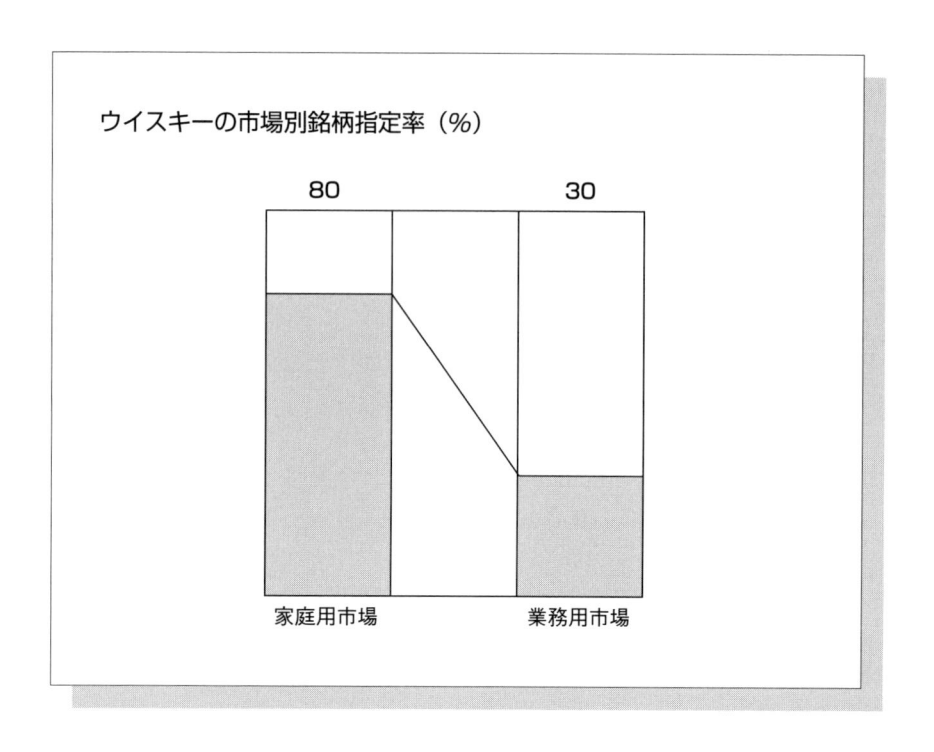

ヒント1 　顧客が銘柄を指定するということは、顧客のプルがあるということ。これは誰もが納得する共通の事項と見なしてよいだろう。

ヒント2 　①家庭用市場より業務用市場の方が自由度が大きく魅力的だ。
　　　②当社は家庭用市場で顧客評価が高い。
　　　③当社は業務用市場を中心に攻めるべき。
これはいずれも正しくない。①と②はWhy So? をしてみると、果たしてそのようなことが言えるのだろうか。③はSo What? する際の課題の設定自体が間違っている。ケース設定を再確認してみよう。

問題 3

　次の図は、旅行者1万人に、国内の観光地について、「どれくらい行きたいか」と「実際に行ってみてどうだったか」を調査し、それぞれの平均値をとってプロットしたものだ。横軸が来訪意向（どれくらい行きたいと思うか）指数、縦軸が評価（実際に行ってみてどうだったか）指数になっている。
　この図から国内の観光地の評価について、観察のSo What? をしてみよう。

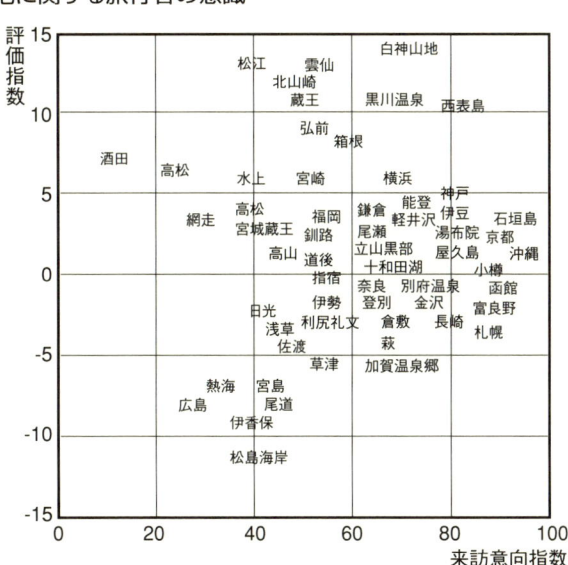

観光地に関する旅行者の意識

（評価指数を縦軸、来訪意向指数を横軸としたプロット図。主な観光地名：白神山地、松江、雲仙、北山崎、蔵王、黒川温泉、西表島、酒田、高松、弘前、箱根、水上、宮崎、横浜、神戸、網走、高松、宮城蔵王、福岡、釧路、鎌倉、軽井沢、能登、伊豆、石垣島、高山、道後、尾瀬、湯布院、京都、指宿、立山黒部、屋久島、沖縄、十和田湖、小樽、日光、伊勢、奈良、別府温泉、函館、浅草、登別、金沢、富良野、利尻礼文、倉敷、長崎、札幌、佐渡、萩、草津、加賀温泉郷、熱海、宮島、広島、尾道、伊香保、松島海岸）

データ処理方法　旅行者10,000人を対象に以下のように処理した

● 評価指数…国内観光地を、実際に行ってみて「期待通りを大きく上回ってよかった」を15、「期待通り」を0、「期待を大きく下回りよくなかった」を−15として、旅行者に評価させ、その平均値をプロットしたもの。

● 来訪意向指数…国内観光地を、「ぜひ行ってみたい」を100、「行ってみたい」を60、「あまり行きたくない」を40、「行きたくない」を0として評価させ、その平均値をプロットしたもの。

出所：（財）日本交通公社『旅行者動向2000』を筆者加工。

> ヒント1　この図全体から言えることをSo What? して抽出するためには、このチャートをいくつかの象限にMECEに切ってみるのが有効だ。MECEな象限（グルーピング）ができたら、その象限にタイトルをつけてみる。具体的には、その象限の特徴を来訪意向と評価の2軸で定義することになる。

> ヒント2　1つの象限の中に入っているいくつもの観光地を睨んで、何か共通の特徴がないか考えてみる。

> ヒント3　「札幌は来訪意向は高いが、行ってみると期待をやや下回る結果になっている」というのは、「札幌はどのような位置づけにあるか」が課題ならば、正しい観察のSo What? だ。しかし、その他の観光地の情報は全く無視していることになり、この図全体についての意味のある観察のSo What? とは言えない。

> ヒント4　Why So? で検証してみる。例えば、「温泉地は来訪意向が高く、そこそこの評価（±5以内）を得ている」は正しいSo What? とは言えない。なぜなら、伊香保や熱海も温泉地であるが来訪意向も評価も低いからだ。

2 間違った「観察」のSo What? /Why So? に気づけるようになろう

　もっともらしくまとめられていると、正しい観察のSo What? になっていなくても案外、間違いに気づかないもの。間違ったSo What? に気づけるかどうかは、Why So? の感度にかかっている。

問題 1

　次の図にある文章Aは、図Bを観察のSo What? したつもりで書かれている。これは正しいSo What? だろうか。正しくない場合には、適切な観察のSo What? に直してみよう。

> **ヒント1** 正しい観察のSo What? を考えるヒントは、この図がビジネスシステムであることだ。ビジネスシステムとはどんなものだったか確認しよう（68ページ参照）。この文章では、図の枠組みを説明したに過ぎない。

> **ヒント2** 短くまとめればよい、というものではない。あなたの考えたSo What? からこのチャートに盛り込まれた情報を鮮明にイメージできるだろうか。

> **チェック!** So What? をすべき情報の中で、自分の気になっている一部だけを取り上げてSo What? していないか？　必要ない情報であれば、そもそも提示する必要がない。必要のある情報は大きな漏れがないようにSo What? する。

第4章　話の飛びをなくす

A	ミートソースライトのプロモーションとして、新商品導入キャンペーン、ヘルシーダイエットキャンペーン、期末ボリュームキャンペーンの3つを実施した。			

B ミートソースライトのプロモーション

	新商品導入キャンペーン	ヘルシーダイエットキャンペーン	期末ボリュームキャンペーン	上期目標 売上:100 収益:10 単位:億円
目的	新商品の認知度アップ。	ヘルシーなダイエット食品というブランドイメージの確立。	当期の売上げ目標の達成。	
プロモーション場所	・スーパーマーケットおよびコンビニを中心。 ・他チャネルも展開。	・コンビニにダイエット食品の棚を設置。 ・健康食品店チャネル。	・スーパーマーケット。 ・ディスカウンター。	
内容	・キャラクターグッズプレゼント。 ・テレビCMの放映。	・店頭でのダイエットレシピのデモンストレーション。 ・体脂肪計プレゼント。	・3パック500円セットの導入。 ・ボリュームインセンティブの供与。	
業績	売上げ:15億円 収益:1.5億円	20億円 3億円	45億円 2.25億円	上期実績 売上:80 収益:6.7 単位:億円
特記事項		・当初は、9月末まで実施予定だったが、8月中旬に急遽打ち切り。	・上期実績と目標との乖離を埋めるべく、営業主導で8月中旬より断行。	

問題2

次の図にある文章Aは、図Bを観察のSo What? したつもりで書かれている。これは正しいSo What? だろうか。正しくない場合には、適切な観察の

So What? に直してみよう。

A パスタソースに関する消費者の好みや購買要因は、この13年間に大きく変化している。

B パスタソースに関する消費者の変化　　（％；N＝100人；複数回答）

Q1.「好みの味のソースはなんですか」

1988年調査結果

- ミートソース　60
- ナポリタン　50
- その他　10

1998年調査結果

- 和風　35
- バジリコ　30
- ボンゴレ　25
- カルボナーラ　20
- ミートソース　15
- ナポリタン　5

Q2.「ソースを買う時、商品の何を重視しますか」

1988年調査結果

- 価格の低さ　35
- メーカー名　30
- 味のよさ　25
- パッケージのよさ　20
- 添加物のなさ（安全性）　15
- その他　5

1998年調査結果

- 本格的な味　50
- 添加物のない、素材の良さ　40
- おしゃれっぽい味　35
- 目新しさ　25
- 価格の低さ　20
- その他　5

| ヒント1 | あなたの考えたSo What? で、ここにある消費者の2つの変化が具体的にイメージできるか？

| ヒント2 | 「消費者のパスタソースの味に関する嗜好は多様化している」と考えたあなた、Why So? にどう答えるだろうか？ パスタソースの種類が3倍になったからか？ しかし、1988年のグラフのその他の欄に20種類のパスタソースがあったらどうするのか？

| チェック！| 「変化している」「推移している」「転換している」というようにある種の動きをSo What? する場合、「何から何へ」「どう」動いているのかを言わなければ何も言っていないのと同じ。「市場は変化している」というSo What? したのではほとんど意味がない。

問題 3

次の図にある文章Aは、図Bを観察のSo What? したつもりで書かれている。これは正しいSo What? だろうか。正しくない場合には、適切な観察のSo What? に直してみよう。

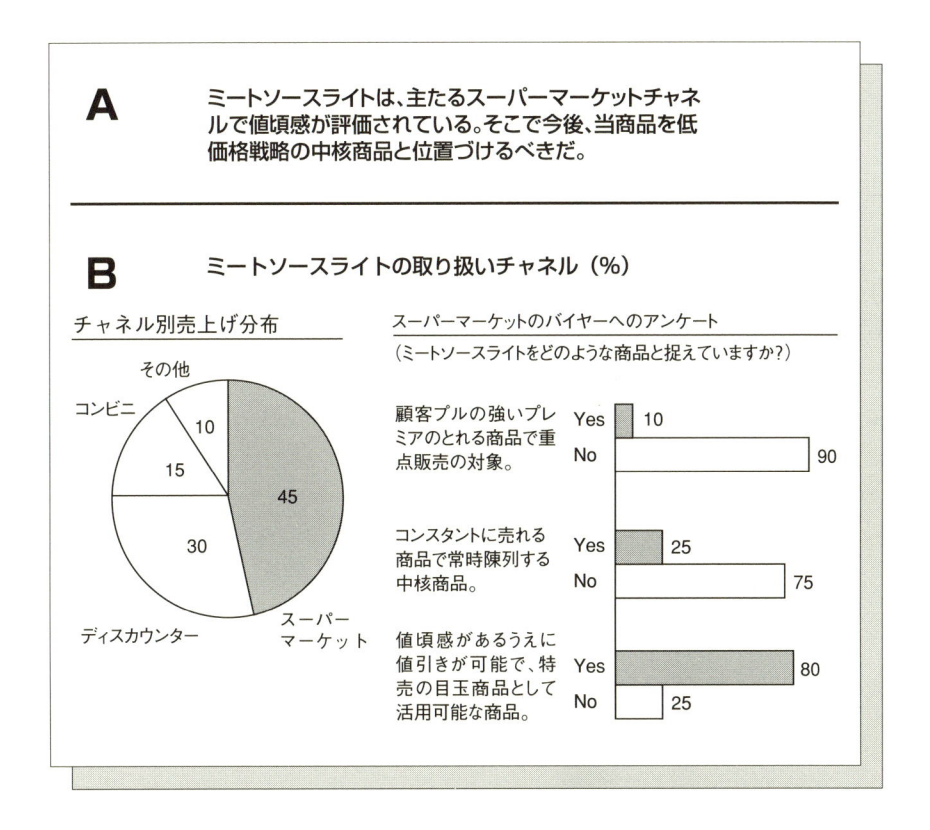

A ミートソースライトは、主たるスーパーマーケットチャネルで値頃感が評価されている。そこで今後、当商品を低価格戦略の中核商品と位置づけるべきだ。

B ミートソースライトの取り扱いチャネル（％）

チャネル別売上げ分布
- その他 10
- コンビニ 15
- スーパーマーケット 45
- ディスカウンター 30

スーパーマーケットのバイヤーへのアンケート
（ミートソースライトをどのような商品と捉えていますか？）

- 顧客プルの強いプレミアのとれる商品で重点販売の対象。　Yes 10／No 90
- コンスタントに売れる商品で常時陳列する中核商品。　Yes 25／No 75
- 値頃感があるうえに値引きが可能で、特売の目玉商品として活用可能な商品。　Yes 80／No 25

> **ヒント** どこか間違っていそうだが、どこなのかわからないときは、Why So? を繰り返す。本当にそんなことが言えるのか？ Why So? で検証されないものはSo What? ではない。

3 「洞察」のSo What?/Why So? に強くなろう

「洞察」のSo What?/Why So? の考え方、解き方については、本文101ページの例題の解説が参考になる。これをヒントに次の問題を解いてみよう。

例題

「観察」のSo What? の問題3の観光地に関する旅行者の意識について今度は「洞察」のSo What? をしてみよう。

あなたは旅行振興協会の国内観光振興課の課長である。「観光地により多くの旅行者を誘致するためには、どのような取り組みが必要か」を課題に、洞察のSo What? をしてみよう。なお、この場合の観光地は、特定の場所ではなく、不特定多数、観光地一般を指す。その際、95ページの「観察」のSo What? を参考にした上で必ずWhy So? で検証してみよう。

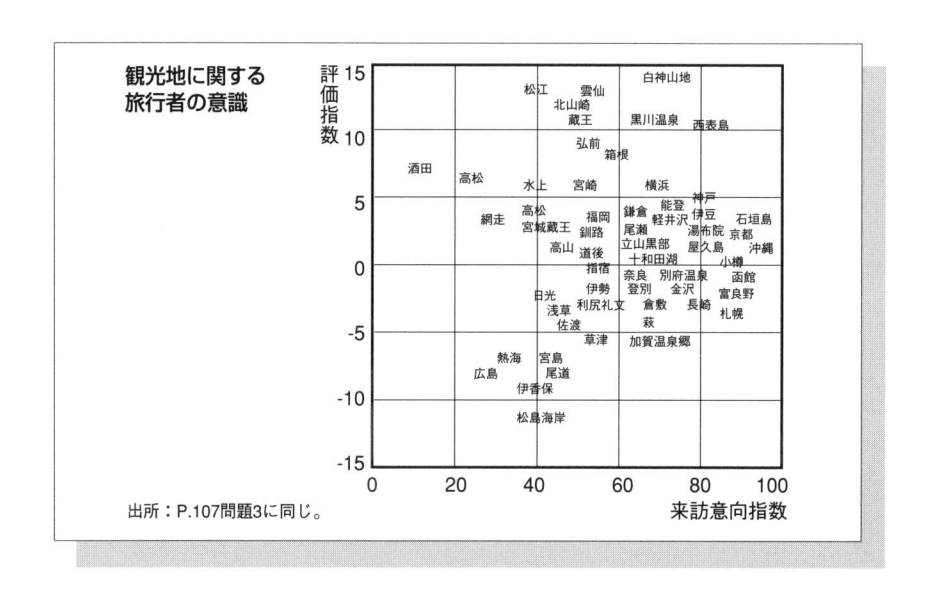

観光地に関する旅行者の意識

（散布図：横軸「来訪意向指数」0〜100、縦軸「評価指数」−15〜15）

- 評価指数10〜15：白神山地、松江、雲仙、北山崎、蔵王、黒川温泉、西表島
- 評価指数5〜10：酒田、高松、水上、弘前、宮崎、箱根、横浜、神戸
- 評価指数0〜5：網走、高松、宮城蔵王、釧路、高山、道後、福岡、鎌倉、尾瀬、能登、軽井沢、伊豆、立山黒部、屋久島、湯布院、京都、石垣島、沖縄、十和田湖、小樽
- 評価指数−5〜0：指宿、奈良、別府温泉、函館、日光、伊勢、登別、金沢、富良野、浅草、利尻礼文、倉敷、萩、長崎、札幌、佐渡
- 評価指数−10〜−5：熱海、宮島、草津、加賀温泉郷、広島、尾道、伊香保
- 評価指数−10〜−15：松島海岸

出所：P.107問題3に同じ。

◇── 考え方と解答例

Step 1　観察のSo What? /Why So? を確認する

　まず、観察のSo What? を確認しよう。観察のSo What? の一例としては、来訪意向指数60（行ってみたい）と評価指数5（行ってみたら思ったよりよかった）で縦横に線を引き、次の図のように4つの象限を作る。

①行ってみたかったし、行ったら期待以上によかった観光地──観光地としてさほど有名ではないが、豊かな自然に恵まれ、一年中自然が楽しめそうなところ。

②行ってみたかったが、ほぼ期待通りだった観光地──誰もが知っている場所。古都から最近人気のスポットまで幅広く入っている。

③さほど行きたいとも思わないし、行ってもよくなかった観光地──日本三景のような伝統的な観光地。

④さほど行きたいとは思わないが、行ってみたら期待よりよかった観光地──観光地としては無名、観光地以外でも一見特に目立つ特徴は感じられない場所。

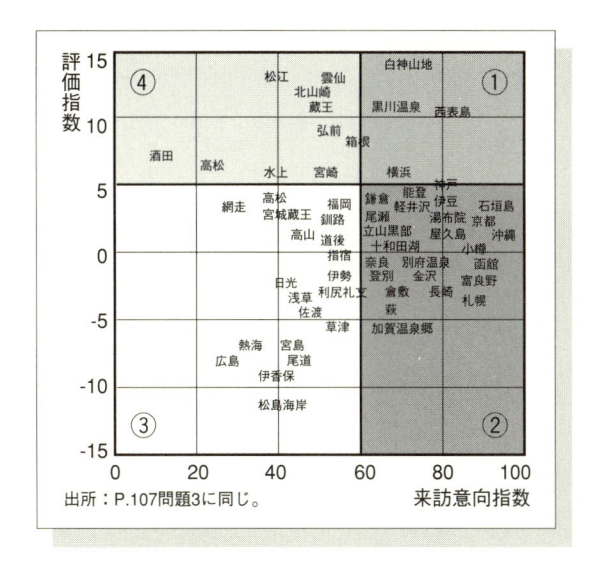

第4章　話の飛びをなくす

Step 2 課題に照らして「洞察」のSo What? /Why So? を考える

　課題は、「観光地へ旅行者を誘致するためにどのような取り組みが必要か」だ。その観光地がこの図の4つの象限のどこに位置するかによって、最も望ましい①のポジションに近づけるためのアクションが異なる。

　ここでは②に属する観光地について考えてみよう。②は「行ってみたかったが、ほぼ期待通りだった」グループで、このままではリピーターは望めない。この風評が高まると、「行ってみたい」という来訪意向も下がるおそれがある。したがって、来訪時の満足度を高める、というのがポイントとなろう。そのための方法を考える際には、「行ってみたら思った以上によかった」グループに属している観光地、すなわち①や④の特徴や共通項を考えたり、対象とする観光地の土地柄と共通点のある場所が具体的に何をやっているのか、調べてみると参考になるだろう。例えば、次の4つが考えられる。

- いまその土地にある、知られていない美しい自然を探してみる。
- いまその土地にある、知られていない優れた建造物など、人間の手によって作られたものを探してみる。
- その土地にはないが、満足度につながるような自然を作り出してみる。
- その土地にはないが、満足度につながるような建造物（ハード）、目玉となる行事や食材、料理（ソフト）を作り出してみる。

　さあ、この要領で、現在、③や④に属している観光地は、どのようなアクションをとるのが望ましいと考えられるのか、仮説を立ててみよう。

問題

「観察」のSo What? の問題2の図「ウイスキーの市場別銘柄指定率」について今度は洞察のSo What? をしてみよう。

あなたは洋酒メーカーの営業部長だ。この図から導き出される、当社がウイスキー営業を効果的に進める上での意味合いは何か。これを課題に洞察のSo What? をしてみよう。その際、95ページの「観察」のSo What? を参考にした上で必ず、Why So? で検証してみよう。

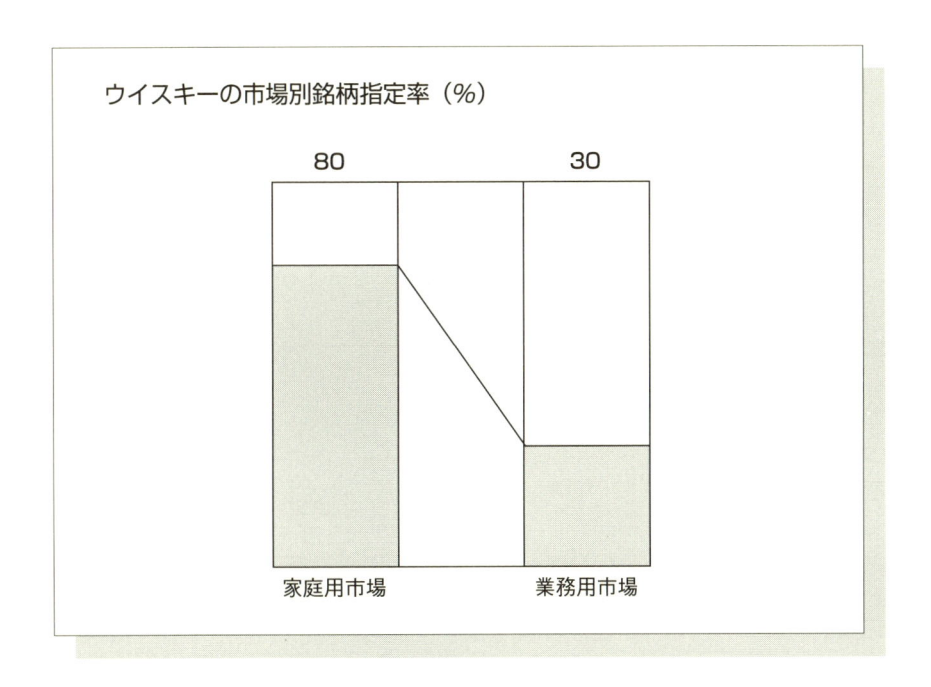

ウイスキーの市場別銘柄指定率（％）

家庭用市場 80
業務用市場 30

ヒント 家庭用市場、業務用市場とも、市場規模はわからない。また当社のそれぞれの市場での業績もわからない。したがって、どちらの市場を攻めるべきである、というようなSo What? では、Why So? に答えられない。

第4章　話の飛びをなくす

第3部

論理的に
構成する技術

はじめにで述べたように、日本のビジネス界でも、ロジカル・コミュニケーションがようやく市民権を得始めたようだ。コミュニケーションを生業にする人は多いが、このロジカル・コミュニケーションという分野のニッチプレーヤーを自認してきた筆者としては、この変化を大変嬉しく思っている。

　しかし残念なことに、非常に多くの方々が、論理的に思考を組み立てるための道具を持たず、勘と経験に頼った試行錯誤の繰り返しの中で悪戦苦闘している。確かに、自分が熟知する分野や土地勘の働く分野なら、勘と経験の試行錯誤アプローチでもどうにかなるだろう。だが、自分にとって新しい、あるいは馴染みの薄い分野や、変化が激しく過去の考え方が必ずしも適用できない分野を扱う場合には、体系立った道具立てがないと、論理的に考えを組み立てることがなかなかできない。

　では、どのような道具立てがあれば、話したり、書いたりする内容を論理的に組み立てられるのか？　第2部で紹介したMECE、So What?/Why So? もその道具の1つだ。

　この第3部では、MECE、So What?/Why So? を使って整理したコミュニケーションで伝える「部品」を「論理」に組み立てるという論理構成の道具立てを紹介し、それを使いこなすためのポイントを紹介する。

第5章 So What? /Why So? とMECEで「論理」を作る

1 論理とは？

　第1部で、論理的なコミュニケーションには、相手との間に設定された「課題（テーマ）」に対する「答え」が用意されていること、さらに「答え」の要素には、結論と根拠、あるいは方法があることを述べた。そして、第2部で、さまざまな情報の中から、課題に照らしたときに正しい「結論」や「根拠」、あるいは結論が何らかのアクションを意味するものの場合には「方法」を整理していくアプローチとして、MECE（話の重複・漏れ・ずれをなくす技術）やSo What? /Why So?（話の飛びをなくす技術）という技術を紹介した。

　結論、根拠、方法を、漏れも重複もなく、また飛びもなく整理できれば、コミュニケーションの「部品」はきちんと揃ったことになる。だが、これらの「部品」を、コミュニケーションの相手に伝え、結論に対して「なるほど、わかった」と思わせるには、もう一工夫が必要だ。車やオーディオ機器を例にとると、個々の部品がどれだけよく作りこまれていても、それらがきちんと製品として組み立てられ1つのシステムとして機能しなければ、一般の消費者にはそのよさが実感できない。それと同じことがコミュニケーションについても言える。

　結論、根拠、方法といった「部品」を、ばらばらのままコミュニケーションの相手に提示するのでは、相手には部品間の関係が見えにくい。相手は頭

の中でSo What?（結局どういうことなのか？）、Why So?（なぜそのようなことが言えるのか？）、本当にMECE（漏れ・重複・ずれがない）か？　といった思考を繰り返すことになる。これではなかなか「なるほど、わかった」という状態には至らない。また、そもそも相手があなたが伝えようとする中身に興味や関心を持っていなければ、「部品」間の関係を把握して、あなたの伝えたい中身全体を理解してもらうことなど期待できない。理解する努力をはなから放棄されてしまうだろう。

　こうならないために、結論、根拠、方法という「部品」を1つの「論理」の構造に組み立てて、相手に個々の部品の関係を示す──「論理構成」することが不可欠なのだ。

　では、論理とはどのようなものなのだろう。論理というといかにも難しそうだと思われるかもしれないが、それは極めてシンプルなもので、結論と根拠、あるいは結論と方法が、縦・横2つの法則に基づいて関係づけられた構造をいう。本書では、論理を次のように定義したい。

> 論理とは、結論と根拠、もしくは結論とその方法という複数の要素が、結論を頂点に、縦方向にはSo What? /Why So? の関係で階層をなし、また横方向にはMECEに関係づけられたものである。

　So What? /Why So? については第4章で、MECEについては第3章で詳しく説明しているが、ここでもう一度それぞれのポイントを簡単にまとめておこう。

◆── 縦の法則 So What? /Why So?

　So What? とは、1つ、もしくは複数の要素（データや情報、あるいは自分の考え）全体から言えることを、課題（テーマ）に照らして抽出することだ。そして、これは同時に、So What? したものに対して、「なぜそのような

ことが言えるのか？」と自問自答したとき、すなわちWhy So?と聞いたときに、元の複数の要素全体が答えになっている、という関係になる。

　大切なことは、下線をつけた部分だ。つまり、どれか一部の要素しか視野に入っていないのでは、So What?の関係は成り立たない。また、いま手元にある要素以外にも情報やデータがなければそのようなことは言えないという場合も、So What?の関係でない。これを確認する作業が、まさにWhy So?だ。

　そしてSo What?／Why So?には、次の2通りがあった。

観察のSo What?／Why So?

　データや情報が何を意味するかを要約し、同時に本当にそのようなことが言えるのかどうかを検証すること。観察の対象が事実であれば、So What?の結果も事実の要約であり、対象がアクションの場合には、観察のSo What?の結果もまたアクションの要約になる。

洞察のSo What?／Why So?

　データや情報を観察のSo What?／Why So?をした上で、課題に照らして元のデータや情報とは異質な要素を抽出し、同時に本当にそのようなことが言えるのかどうかを検証すること。例えば、複数の成功している競合企業の動き（事実）から、業界の勝ちパターン（ルール・法則）という判断や仮説を導き出す場合が該当する。目に見える業務上の問題点（事実）から、その問題を引き起こしている根本的な要因について仮説を立てることも、洞察のSo What?に他ならない。

◆── 横の法則 MECE

　ある1つの事柄や概念を全体集合として考え、それらを重なりなく、しかも漏れのない部分集合に分け、全体をその部分集合の集合体として捉える技

術がMECEだ。例えば、「自社の事業の現状」について検討結果をまとめようとしているならば、「自社の事業の現状」を全体集合としたときに、ほぼ重複なく漏れなく事業の現状を構成する多様な要素を整理することのできる何らかの視点——これを「切り口」ともいう——を見つけるわけだ。

重要なことは、MECEに整理すること自体に意味があるのではない、ということだ。最終的に答えるべき「課題」に対するあなたの答えをコミュニケーションの相手に伝えるときに、その相手から見てあなたの答えが、重なりも漏れもずれもなく、課題（テーマ）に合った切り口できちんと整理されていることが重要になる。

◆── 論理の基本構造

では、具体的に論理の基本構造とはどのようなものなのか。それを概念的に示したものが図5-1だ。このように、論理とは、結論を頂点に結論に対する根拠、あるいは結論を実現するための方法が、1つの構造として組み立てられてたものだ。そして、結論も含めて1つの論理構造内のすべての要素は、次の3つの要件を満たされなければならない。

- 要件1　結論が課題（テーマ）の「答え」になっている。
- 要件2　縦方向に結論を頂点としてSo What?／Why So?の関係が成り立つ。
- 要件3　横方向に同一階層内の複数の要素がMECEな関係にある。

例えば、あなたが上司から「顧客企業であるリリー化粧品の現状を把握したい。すでに業績面の数字はわかっているのだが、その事業の実態がわからないので調査して報告してくれ」と指示を受けたとしよう。あなたは、リリー化粧品の事業について情報を収集、分析し、上司から出された課題に対する結論を出して、その根拠となるいくつもの「部品」を取り揃えた。さあ、

図5−1 ❖ 論理の基本構造

課題

レベル1　結論 X

So What? ↑　　Why So? ↓

レベル2　A　B　C

MECE

レベル3　a−1 a−2 a−3　b−1 b−2 b−3　c−1 c−2 c−3

MECE　MECE　MECE

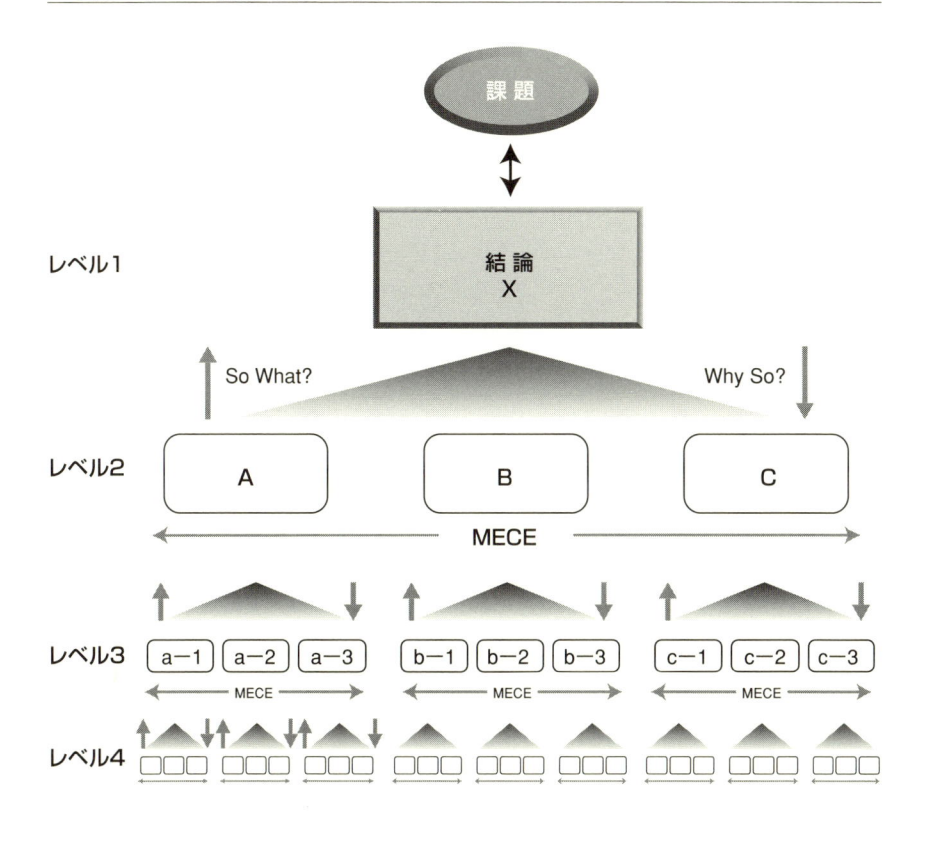

レベル4

あなたはこの後どうするだろうか。

　賢明なあなたなら、ここで「できました！」とばかりに、上司とミーティングを行ったり、レポートを書き始める、というような早計なことはせずに、結論と根拠が論理となるようにきちんと構成するだろう。そのときに、前述した3つの要件を満たすことが必要になる。論理構造の3つの要件を、基本構造の図5−1と、リリー化粧品の現状説明の例を示した図5−2を対照しながら見ていこう。

図5-2 ❖ リリー化粧品のケース

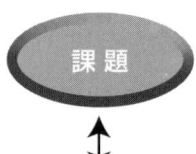

課題: リリー化粧品の各事業はどのような現状にあるのか？

結論: リリー化粧品は、主力事業・化粧品事業が凋落する中、健康食品事業、宝飾品事業ともに状況は厳しい。

↑ So What?

主力の化粧品事業
都市・地方の両市場ともに訪問販売という売り方の強みが生きず、かなり苦しい状況に置かれている。

健康食品事業
市場の伸び悩み、強力な競合の存在、自社の販売トラブルの頻発により、かなり追い込まれた状況にある。

←──── MECE ────→

都市部
女性の有職率が高く、訪販離れが進行。低価格品の店頭売りをしたが、量販店の前に苦戦している。

地方部
豊富な品揃えと廉価な価格を売りにした通信販売業者にシェアを奪われている。

市場
長い不況の中で規模が伸びず、既に価格競争に入り、収益の出ない構造になっている。

競合
安全性に関して、消費者からの信頼度が高い食品会社が圧倒的に有利になっている。

自社
薬事法に抵触する商品説明によるトラブルが頻発し、膨大な処理コストが発生している。

←── MECE ──→   ←──── MECE ────→

Why So? ↓

宝飾品事業
商品、価格、プロモーション、チャネルというマーケティングの各面に問題を抱えている。

商品	価格	訴求方法	チャネル
品揃えをメーカー任せにした結果、統一感のない、メーカーにとっての在庫処分的な内容になっている。	宝飾品全体が低価格化する中で、割り高感を持たれている。	売上を上げるため、値引きセールを繰り返した結果、正価では売れなくなっている。	宝飾品を売るためのスキルが不十分で、顧客が納得できる商品説明ができていない。

←─── MECE ───→

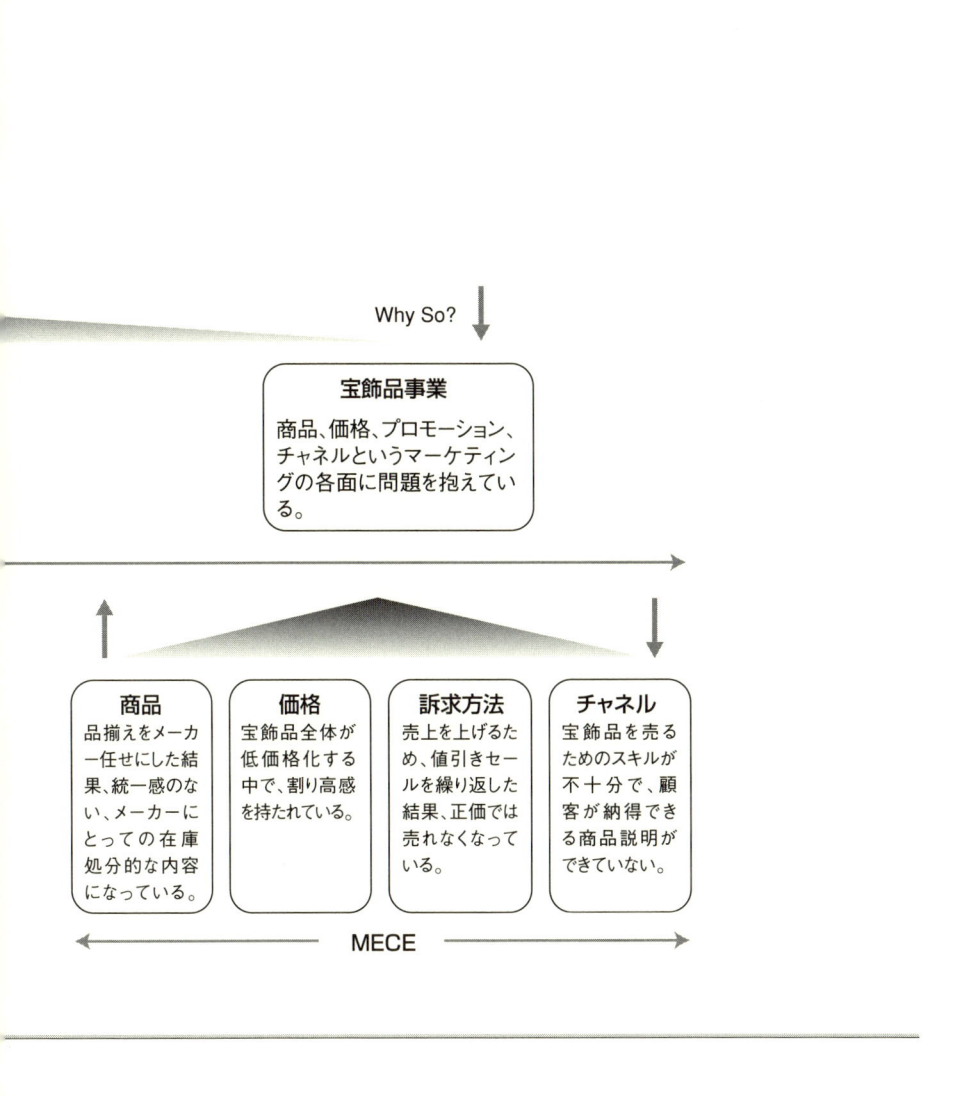

要件1　結論が課題（テーマ）の「答え」になっている。

　そもそも、なぜ論理構成をするのだろうか？　あまりにも当たり前のことだが、それは、コミュニケーションの相手と自分との間に設定された課題（テーマ）に対する答えを伝え、相手に自分の結論を納得させ、期待通りに反応してもらうためだ。このコミュニケーションの狙いを達成するには、「答え」の核になる結論が、「課題（テーマ）の答えの要約」になっていることが大前提だ。

　論理構成をするときには、まず論理構造の頂点に置くべき結論が、課題（テーマ）に合致していることを確認する。レポートをまとめる、あるいはプレゼンテーションの準備をするとき、本来答えるべき課題が「事業Xの現状はどうなっているのか？」なのに、いつの間にか結論が「事業Xが抱える販売部門と開発部門の連携不足が問題であり、これに対して強化策を講じる必要がある」というようなものになってしまう、という伝え手は驚くほどに多い。「販売部門と開発部門の連携不足に対して強化策を講じる」という結論は、「事業Xの現状はどうなっているのか？」という本来の課題に対する答えからは全くずれている。

　第1章で詳しく解説したが、結論は自分の言いたいことの要約ではない。結論が、相手との間に設定された課題（テーマ）の答えになっていなければ、いくら結論を頂点にした論理自体が正しく構成されても、相手から見るとその論理は「的外れな答え」になってしまい、何の価値もない。まず、結論が課題（テーマ）の答えになっていることを確認しよう。

　それでは、図5－2のリリー化粧品のケースは要件1を満たしているか確認してみよう。課題は「リリー化粧品の各事業はどのような状況にあるのか」なので、結論はリリー化粧品の各事業の「状況」を説明する内容のものでなければならない。そこで、結論を見てみると、「主力事業・化粧品事業が凋落する中、健康食品、宝飾品事業ともに状況は厳しい」とあり、「状況」を説明している内容になっているので、これならば確かに設定された課題の答

えになっている。

　仮に結論が、「各事業ともに新たなネットチャネルの開拓に力を入れるべきだ」とか、「収益性改善のための取り組みを強化すべし」といったようなものになっているとしたら、もちろん課題の答えにはならない。課題は「状況」を尋ねているのに、「アクション」を答えてしまっているからだ。

　また、あなたに与えられた課題が、「当社はAという新規分野に参入するべきか否か」というものであったら、あなたが答えるべき結論は「参入する」、もしくは「参入しない」という類であるべきだ。「消費の冷え込みを勘案して、今設定されている参入条件自体を再検討する」といった結論では、「参入する」のか「参入しない」のかという答えを期待していた相手は、「これでは答えになっていない」と考えるだろう。

　社内会議や取引先との商談の場で、あるいは1人の消費者として、このような課題の答えになっていない、言ってみればピントのはずれたコミュニケーションに出会い、戸惑ったり、いらいらしたことは1度や2度ではないだろう。いま、あなたの頭の中にある結論が、あなたがコミュニケーションの相手との間に設定した課題（テーマ）の答えとして、妥当なものであること、これが正しい論理構造を作るための第1の要件になる。

要件2　縦方向に結論を頂点として So What? /Why So? の関係が成り立つ。

　正しい論理構成の要件の2番目は、結論を頂点に、根拠、もしくは方法の複数の要素が、縦方向に So What? /Why So? の関係に並ぶということだ。

　まず、図5−1を見てみよう。結論Xに対してそのすぐ下にある要素A、B、Cは、「根拠」、もしくは結論が何らかのアクションの場合には、結論をどう実行し実現するのかという「方法」になる。結論Xと根拠（もしくは方法）A、B、Cは、結論に対して「Why So?」と聞いた場合に、A、B、Cの3つがその答えになる、という関係にある。コミュニケーションの相手に

結論を提示し、相手から「なぜそのようなことが言えるのか？」と尋ねられたとしたら、A、B、Cの3要素がその答えになっている、ということだ。また、結論が何らかのアクションを示す場合には、A、B、Cの3つは、相手から「なぜそのようなことができるのか？」と尋ねられた場合の答え、つまり「具体的には○○を行う」とか、「△△のように進めていく」という方法になることもある。

これは、伝え手が「私の結論はXです。なぜならばA、B、Cということが言えるからです」と説明したとき、相手にとって「なぜならば」のつながりに唐突感がなく、自然に納得できる、ということだ。そして逆に、A、B、Cという3つを、課題の答えになるようにSo What?してみる（結局どういうことが言えるのかをまとめる）と「X」という結論になる、という関係も同時に成り立たなければいけない。

このSo What?／Why So?の関係が、レベル2以下の要素間にも同様に成り立つ。要素AにWhy So?と尋ねると、そのすぐ下の要素a-1、a-2、a-3がその答えになっている。同時に、a-1、a-2、a-3の3つをSo What?すると、Aになるわけだ。

次に、リリー化粧品のケース（図5－2）で、So What?／Why So?の関係を確認しておこう。図5－2は、図5－1の論理の基本構造に具体的なケースを入れて、結論とその根拠を論理構成したものになっている。「主力事業・化粧品事業が凋落する中、健康食品、宝飾品事業ともに状況は厳しい」という結論を相手に伝えたときに、相手からWhy So?（なぜそんなことが言えるのか？）と尋ねられた場合の答え、つまり「なぜならば……」と提示する根拠が、結論のすぐ下のレベル2に「化粧品事業」「健康食品事業」「宝飾品事業」というリリー化粧品が展開する3つの事業別に並んでいる。また逆に、レベル2の3事業の状況をSo What?すると結論になる。

さらに、レベル2の根拠について、「事業ごとに見たとき、具体的にどうなっているのか？（Why So?）」という問いを投げかけられたとき、その答えとなる根拠が、レベル3に構成されている。例えば、化粧品事業を見ると、

レベル3には「都市部の市場」と「地方部の市場」という切り口で2つの根拠が置かれ、化粧品事業では訪販という販売形態がいかに市場にマッチしなくなっているかを具体的に説明している。そして、このレベル3の2つの根拠をSo What? すると、レベル2の根拠になる。同様の関係が、健康食品、宝飾品事業についても成り立っている。

このように、正しい論理構造は、縦方向には結論を頂点に、上から下に向けてはWhy So? の関係が、また下から上に向けてはSo What? の関係が成り立たなければならない。縦方向にSo What? /Why So? の法則を貫くことで、「結論はXです。なぜならばA、B、Cだからだ」という説明の、「なぜならば」に唐突感がなくなり、結論と根拠、もしくは結論と方法の間に飛びをなくすことができる。なお、So What? /Why So? については、第4章で詳しく解説しているので、復習しておこう。

要件3　横方向に同一階層内の複数の要素がMECEな関係にある。

正しい論理構造では、さらに、同一の階層内に位置する複数の要素が、横方向に相互にMECEな関係になっていなければならない。図5-1では、レベル2の要素A、B、CがMECEということになり、いま答えるべき課題の結論を導く上で、大きな漏れ・重複・ずれのない要素の集まりになっている。レベル3でも同様に、要素a-1、a-2、a-3の3つ、要素b-1、b-2、b-3の3つ、要素c-1、c-2、c-3の3つが、それぞれA、B、Cに対して大きく漏れ・重複・ずれのない関係になっていなければならない。なお、MECEについては、第3章で詳しく説明しているので復習しておこう。

それでは、再びリリー化粧品のケース（図5-2）でこのことを確認しておこう。いま、課題は「リリー化粧品の各事業はどのような状況にあるのか」で、この課題に対する答えを論理構成している。したがって、結論を直接支えるレベル2には、リリー化粧品が従事するすべての事業別、すなわち化粧品事業・健康食品事業・宝飾品事業の各事業別に根拠を並べている。もし仮

にリリー化粧品が、この３つの事業の他にアパレル事業にも取り組んでいるのなら、図５−２の論理は、結論も違ってくるし、根拠にも漏れがありMECEではない。レベル２には第４の根拠として、アパレル事業を説明する要素が必要になる。

　また、図５−２のレベル３に並ぶ根拠の間にも、同じくMECEな関係が成り立っている。化粧品事業については、都市と地方という市場別に根拠を整理している。なぜこれがMECEかというと、化粧品事業を展開する（国内）市場が都市と地方とに大別できるからだ。どちらの市場でも化粧品事業は訪販という販売形態の強みが活きなくなっている状況は同じだが、詳しく実態を見ると都市と地方とでは違いがあり、その違いをレベル３の根拠は説明している。

　健康食品事業は、その追い込まれた状況を、市場（Customer）・競合（Competitor）・自社（Company）という３Cのフレームワークを使って根拠を整理し、説明している。

　また、宝飾品事業については、マーケティング上の問題があるのだが、これを商品（Product）・価格（Price）・プロモーション（Promotion）・販売チャネル（Place）の４Pのフレームワークを使って、４つの視点から根拠をまとめている。

　ところで、ある事業の状況をMECEに説明しようとすると、このケースのようについつい３Cのフレームワークを多用したくなる。しかし、大事なことはどのような切り口で根拠をまとめて相手に提示すれば、その事業の特徴なり、問題点なりが際立って相手に伝わるのかを考えて、最もふさわしい切り口を選ぶことだ。例えば、

・根拠１　　Ｘ社の研究開発機能はどうか。
・根拠２　　Ｘ社の生産機能はどうか。
・根拠３　　Ｘ社の営業機能はどうか。

というように、X社の事業の機能ごとに根拠を構成することもできる。仮にX社が、伝統的な製造業以外の業種、例えば、保険事業や、小売り事業を営んでいるなら、当然、この事業機能の捉え方も異なってくるはずだ。要は、同一の階層内にある要素間が、上の要素にWhy So? と聞いたときの答えとして妥当な、MECEな関係にある、ということだ。

　同一の階層に位置する複数の要素は相互にMECEな関係にあるということを、別の例でも考えてみよう。例えば、「融資を申し込んできた法人顧客候補X社の事業はどのような現状にあるのか」という課題の答えを論理構成するとしよう。この場合、結論を支える根拠の切り口として次のようなものを選んだとしたらどうだろう。

・根拠1　X社にとっての市場はどうなっているのか。
・根拠2　X社のターゲット顧客層はどう変化しているのか。
・根拠3　X社の販社の販売力はどうか。

　これはMECEな根拠にはならない。まず、根拠1の市場と、根拠2の顧客では重なりが出る場合が多い。また、X社の販社の販売力を根拠に挙げるなら、これはX社の事業機能の一部なのだから、その他の生産や開発機能はどうなのか、また販売にしても販社管理能力などはどうなっているのか、と漏れを指摘したくなる。加えて、そもそも、市場（根拠1）、顧客（根拠2）、販売力（根拠3）という3つの切り口では、何の全体集合も形作ることはできず、ずれもある。根拠1と根拠2を活かしたいのなら、これに競合と、当社の販社販売力以外の要素も含めた根拠を加えて3Cのセットにすべきだろう。また、根拠3を活かすのなら、他の事業機能を加えてビジネスシステムの各段階ごとの根拠を用意することもできる。現状の3つの根拠では、なんとなく大事そうな根拠が3つ並んでいるにすぎず、相手に結論を「なるほど」と思わせるような、論理的な説明にはならない。

2 論理はコンパクトなほどよい

ここまで読まれたあなたは、実際に論理を組み立てることを想定し、次のような疑問を持つことだろう。

「縦方向には、どの程度の階層を作るべきか？」
「横方向には、いくつくらいにMECEに分ければよいのか？」

これについても、「何のための論理構成か？」を考えれば自ずと答えが見えてくる。言うまでもなく、それは、コミュニケーションの相手にあなたの結論を納得させ、あなたの期待通りに相手に動いてもらうためだ。したがって、相手が「なるほどそうか」と思って納得してくれるだけの、過不足のない論理であればよい。

あなたが持つ多くの情報や分析結果をすべて組み入れて、壮大な論理を構成することに意味はない。コンパクトにまとめられた論理構成で相手を説得できるなら、相手にとっても理解する情報量が少なく、これほどよいことはない。この点を踏まえて、先の2つの点を考えてみよう。

◆── 縦方向にどこまで階層化するのか？

次のように考えていただきたい。あなたが結論を相手に伝えた場合、その相手は、いったいどこまでWhy So?（なぜ、そんなことが言えるのか？）と質問してくるのか、その質問に答えるにはどこまで根拠や方法があればよいのかを見極める、ということだ。

126ページの図5-2のリリー化粧品の場合なら、「リリー化粧品は、主力事業・化粧品事業が凋落する中、健康食品事業、宝飾品事業ともに状況は厳しい」という結論を相手が納得するには、レベル2の根拠によって各事業の

全体像がわかればよいのか、あるいはレベル3の、各事業の内容をより詳細に説明する根拠まで伝えなければならないのかを見極めるわけだ。「リリー化粧品の現状を報告せよ」と指示した上司ならば、当然、レベル3の根拠まで必要だろう。

あるいはまた、あなたの会社で「生産性向上運動」を全社で進めることになったとしよう。あなたは、その推進プロジェクトのメンバーだ。プロジェクトでは、この運動をどう進めていくかを検討してきたが、このほどようやく内容がまとまった。そこで、全社へのコミュニケーションの第1ステップとして、まず各支社・営業所長、本社各部門長を対象に、「なぜ、生産性向上が必要なのか？」という全体像を説明し、各部門内に周知徹底してもらうことになった。全社で進めると言っても、今回の生産性向上の主眼は実は支社・営業所という営業部隊であり、営業の現場にはかなりの負荷を負ってもらわねばならない。支社長・営業所長の中にはこの点を察知して、「なぜいつも営業ばかりが痛みを伴う荒療治を強いられるのか」「いったい現場に対して今回の運動をどう説明していけばよいのか」等という気分になっている人が少なくないようだ。

こうした状況の中で、「いま、なぜ営業に主眼を置いた生産性向上が必要か」を支社・営業所長に納得してもらうには、支社・営業所長のWhy So?に答えられるだけの十分な根拠を階層化しておく必要がある。逆に、営業の生産性向上を側面支援する立場の本社機能の部門長には、営業機能の細部に関する根拠まで示す必要はない、ということも十分あり得る。

このように、あなたの結論を相手に提示したときに、相手がどこまでWhy So?と聞いてくるかを想定し、そのWhy So?の質問に答えられるだけの過不足ない根拠なり、方法なりの要素を階層化して用意しておくことが必要だ。

「ウチの社内レポートは、とにかく長くてかなわん。これだけ検討しました、というところを見せたい一心で、あれもこれも盛り込んでいる。結局何が言いたいのかと聞いてしまう」といった声を聞くことが多い。自分が手掛

けた成果はすべて盛り込みたいという心情はよくわかる。しかし、相手の「Why So?」の質問に答えられるだけの要素を過不足なく階層化し、それ以上の階層化は、相手にとっては冗長であり、蛇足だと割り切るくらいの思い切りが、相手にとってわかりやすいコミュニケーションをとるために必要となる。

　もちろん、相手がどこまで「Why So?」と聞いてくるかわからない、ということもあるだろう。このような場合、相手はあなたのコミュニケーションに関心を持っていない、もしくは理解度が極めて低いことが多い。こうしたときにはあまり欲張らず、あなたが伝え手としてこのコミュニケーションで、まずはどこまで相手に理解してもらえばよいと考えるのか、という視点で階層化の数を判断すればよい。

◆──横方向には、いくつに、どのように分解するのか？

　では、横方向には、どれだけMECEに分解すればよいのだろうか。図5－1の論理構造は、レベル2、レベル3、レベル4の各階層とも、横方向には3つずつに分解されているが、もちろんこれは3つに限ったことではない。図5－2のリリー化粧品の例のレベル3では、化粧品事業は2つ、健康食品事業は3つ、宝飾品事業は4つに根拠を分けている。ただし、目安としては、論理構造の同一階層内に展開する要素の数は、多くても4つか5つ以下にとどめることが望ましい。

　なぜなら、精緻にMECEに分解し、整理することが至上目標なのではなく、たくさんある根拠なり、方法なりを重複・漏れ・ずれのないグループに分類して、コミュニケーションの相手にわかりやすく全体像を提示することに意味があるからだ。

　例えば、図5－3と図5－4の説明を見比べてみよう。図5－3では、「キャットフード市場はあらゆる面で大きく変化している」という結論を、「なぜならば、市場規模は……、市場に存在する商品数は……、猫を飼っている

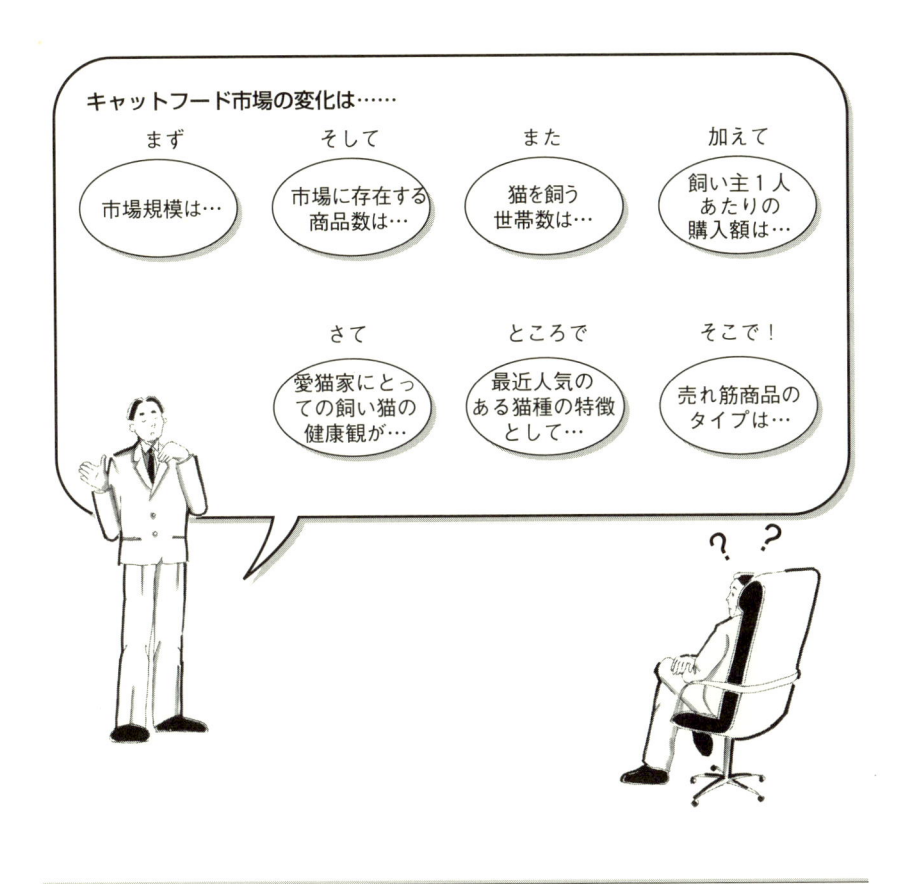

図5-3 ❖ 7つの要素を列挙したケース

キャットフード市場の変化は……

まず：市場規模は…
そして：市場に存在する商品数は…
また：猫を飼う世帯数は…
加えて：飼い主1人あたりの購入額は…
さて：愛猫家にとっての飼い猫の健康観が…
ところで：最近人気のある猫種の特徴として…
そこで！：売れ筋商品のタイプは…

世帯数は……、飼い主1人当たりのキャットフード購入額は……、愛猫家にとっての飼い猫の健康観は……、最近人気のある猫種の特徴は……、売れ筋商品のタイプは……」と、7つの根拠で説明しようというわけだ。あなたが、この説明を受ける立場であったらどうだろうか。この7つの根拠がキャットフード市場を考える上で、重複も、漏れも、ずれもないMECEな要素であったとしても、この市場について伝え手のような予備知識がないあなたの頭

第5章 So What?/Why So? とMECEで「論理」を作る

図5-4 ❖ 7つの要素をグルーピングしたケース

> キャットフード市場は「量」の面では……と変化している
> - 市場規模は…
> - 市場に存在する商品数は…
> - 猫を飼う世帯数は…
> - 飼い主1人当たりの購入額は…

> また「質」の面では……と変化している
> - 愛猫家にとっての飼い猫の健康観が…
> - 最近人気のある猫種の特徴として…
> - 売れ筋商品のタイプは…

の中に残るのは、前々から気になっていた点、あるいはたまたま印象的に感じることくらいだろう。

　これに対して、図5-4のように、7つの根拠を量と質というMECEな切り口でグルーピングし、2つの観点から説明されたらどうだろう。例えば、7つの根拠を量のグループと質のグループごとに分けて、各グループごとにSo What? して「量的な面から見ると、キャットフード市場はペットフード市場の中で唯一成長を続け、しかも、飼い主1人当たりの購買額も伸びているセグメントである」「質的な面から見ると、キャットフード市場では、飼

い猫の健康に対する愛猫家の意識の高まりに応えるような高機能タイプや形状のものが売れ筋になっている」などとまとめてみてはどうか。

　このようにすると、あなたは、7つの細かな情報を聞く（あるいは読む）前に、頭の中に質と量という、重複・漏れ・ずれのない、整理のための2つの枠を作ることができる。そしてあなたはこの2つの枠の中に7つの根拠を整理し、伝え手の論点の全体像をより容易に把握できるというわけだ。

　たくさんの根拠や方法を並べ挙げてしまうと、最後の方を読んだり、聞いたりしているとき、コミュニケーションの相手にとって最初に聞いた要素は霞んでしまうものだ。あなたの結論を相手に納得してもらうためには、あまり多くの数の要素を列挙するのは得策ではない。4から5つ以下を目安にまとめて提示すれば、相手もあなたの論点を理解しやすいだろう。

　こうした感覚は、自分がコミュニケーションの受け手になるときには誰しも持つのだが、いざ自分が伝え手となった途端に、多くの人が相手が理解してくれるだろうと過大な期待をしてしまう。

　根拠や方法を精緻に分解しようとして、7つ、8つにもなるときには、ぜひ、その7つ、8つを、もう一段大括りにまとめるMECEな切り口がないかどうかをチェックし、グルーピングしよう。

第6章 論理パターンをマスターする

　第5章で解説した基本構造を理解したら、いよいよ論理を組み立てることになる。だが、読者は「この基本構造で、本当にすべてのケースに対応できるのか？」と考えるかもしれない。答えはイエス。ただし、実際に論理構成するときには、2つの論理の基本パターンがあり、それを使い分けたり、組み合わせたりする。基本パターンは、「並列型」「解説型」の2つだ。以下、それぞれの特徴や適用ケースなどを見ていこう。

1 並列型

◆── 並列型の構造

　並列型の論理パターンは、基本構造そのものといってよい。図6-1のように、結論を頂点に、それを支える複数の根拠、もしくは結論が何らかのアクションを示す場合には、方法が縦方向にはSo What?／Why So?（結局どういうことなのか？／なぜそのようなことが言えるのか？）の関係で階層化されている。一方、横方向には、同一階層内にある根拠、もしくは方法が相互にMECE（もれ・重複・ずれがない）な関係で構造化されている。図6-1では、縦方向の階層は1層だけだが、もちろん複数の階層になることもある。また、横方向にも2つ、あるいは4つの根拠が並ぶこともある。
　並列型の論理パターンによる論理構成の例を、図6-2、図6-3で見て

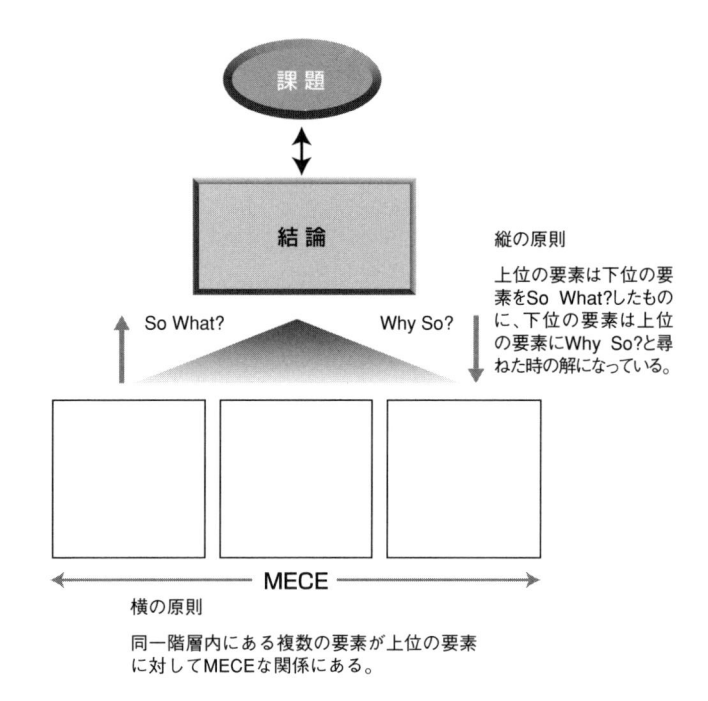

図6-1 ❖ 論理の基本パターン①：並列型

課題

結論

So What?　　　　Why So?

縦の原則
上位の要素は下位の要素をSo What?したものに、下位の要素は上位の要素にWhy So?と尋ねた時の解になっている。

MECE

横の原則
同一階層内にある複数の要素が上位の要素に対してMECEな関係にある。

みよう。ちなみに、基本構造の部分で例示した、126ページにある図5-2のリリー化粧品のケースもまさに、この並列型である。

図6-2、図6-3に戻ろう。当社は、さまざまな販売チャネルに商品を供給している消費財メーカーだ。先ごろ量販店チャネルで当社の中核商品にチャネル側の管理不全によって不良品が発生する事故が起きた。この2つの図は事故対策本部がこの不良品発生にどう対処するのか、また、それを具体的にどう進めるのかについての考え方をまとめ、並列型で論理構成したものだ。

図6-2 ❖ 根拠並列型の例

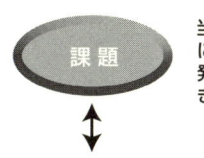

課題：当社は、量販店チャネルの管理不全による、中核商品LX-20の不良品発生という事態にいかに対処すべきか？

結論：当社は、市場、競合、チャネル、自社への影響を考え、全チャネルで管理体制を見直し、世の中に安全性を訴求する。

市場の観点	競合の観点	チャネルの観点	自社の観点
消費者や社会にとっては、チャネルの管理不全と当社製品の品質不良は同義であり、チャネルを問わず当社商品へ不信感を募らせるおそれが高い。	競合にとっては、LX-20の不良品発生は格好の攻撃材料であり、当社の顧客層が取り込まれるおそれが高い。	量販店での事故により、他チャネルが当社商品の管理について不安を持ち、取扱に消極的になるおそれがある。	LX-20だけでなく、当社製品にとって安全性、信頼性は生命線である。特定チャネルの販売管理の問題として片付けると、他のチャネル・商品への悪影響が懸念される。

根拠を並列する

　この論理の課題は、「当社は量販店チャネルの管理不全による、中核商品LX-20の不良品発生という事態にいかに対処すべきか」で、結論は、「市場、競合、自社、チャネルへの影響を考え、全チャネルでの管理体制を見直し、世の中に安全性を訴求する」というものだ。そして、それはなぜか、Why So? と尋ねられたら、「市場・競合・チャネル・自社という、4つの観点からの根拠がある」というわけだ。市場（Customer）・競合（Competitor）・自社（Company）・チャネル（Channel）の4Cは、ある事業の現状をMECEに捉える切り口の1つだ。このように、相手から見たときに漏れ・重複・ずれがない広がりで根拠を示して、結論を説得する。

　そして4つの根拠全体を見ると、「この不良品発生事故によって、顧客や

第6章　論理パターンをマスターする

チャネルが当社離れを起こしており、それが全社の問題に拡大するおそれがある」という観察のSo What? が導かれる。これを、さらに課題の答えになるように洞察のSo What? をすると結論になる。

方法を並列する

　図6-3の並列型は、図6-2の結論を相手が納得した上で、さらに課題を一歩進め、「不良品発生に対処する場合に、具体的にどのように進めるのか」の答えを説明するための、論理構成の例だ。結論は「チャネルの管理体制の再確認、安全性の世間への徹底とも、チャネルと当社が共同体制を組み、

図6-3　❖　方法並列型の例

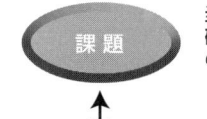

課題：当社は、全チャネルの管理体制の再確認と、世間への安全性の徹底をどのように進めるべきか？

結論：チャネルの管理体制の再確認、安全性の世間への徹底とも、チャネルと当社が共同体制を組み、あくまでも両者の活動として進めていく。

全チャネルの管理体制の再確認の進め方
当社がチャネルを査察するのではなく、品質管理の向上を目的にした、当社とチャネルの共同プロジェクトを組んで、1ヶ月以内に診断と改善策を抽出する。

安全性の世間への徹底の進め方
チャネルと当社が共同で、各店舗での品質保証キャンペーンを実施し、新聞や雑誌への共同広告を掲載する。

あくまでも両者の活動として進める」というアクションだ。このアクションの具体的な方法を列挙して結論を説明するという論理構成になっている。

この例では、結論の「両者の活動」は、「チャネルの管理体制の確認」と、「安全性の世間への徹底」という2つの活動になる。そこで、それぞれの活動のやり方を説明することで、結論に対してMECEな方法を用意している。

このように、結論と方法を並列型で論理構成する場合、結論の下にくる要素は、結論に対してWhy So?、つまり「なぜそのようなことができるのか?」と尋ねられた場合の答え（具体的なやり方）になる。また、方法2つをSo What?すると、結論になるという関係も、同時に成り立つ。

なお、図6-2、図6-3ともに、論理構造の階層はレベル2までしかないが、結論に対してもっと詳しい説明が必要ならば、その下を並列型でさらに階層化すればよい。その際、図6-3のように、方法を説明する並列型では、下の層にいけばいくほど、個別具体的なやり方になっていなければならない。

このように、並列型は、結論に対して、MECEな根拠なり、方法なりがセットされたものであり、その構造は極めてシンプルで明快だ。

◆── 使用上の留意点

根拠や方法がMECEであること

並列型の論理構造の説得力の源泉は、結論に対して、根拠や方法が、重複・漏れ・ずれがなくMECEに展開される点にある。図6-4を見てみよう。これは、結論は図6-2と同じだが、根拠が市場・消費者・商品・自社という4つの根拠で構成されている。よく読むと、商品面での根拠の内容は、競合と自社の両方の商品に関するものであり、自社の観点からの根拠と重複する。同じように、市場の観点からの根拠と消費者の観点からの根拠の境界も曖昧で、内容に重複がある。同時に、この結論を導くために必要な要素を市場・消費者・商品・自社の4つで、すべて漏れなく見ているかと言うと、こ

図6-4 ❖ 正しくない根拠並列型の例

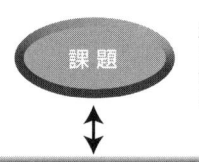

課題：当社は、量販店チャネルの管理不全による、中核商品LX-20の不良品発生という事態にいかに対処すべきか？

結論：当社は、市場、競合、チャネル、自社への影響を考え、全チャネルで管理体制を見直し、世の中に安全性を訴求する。

市場の観点	消費者の観点	商品の観点	自社の観点
消費者や社会にとっては、チャネルの管理不全と当社製品の品質不良は同義であり、チャネルを問わず当社商品へ不信感を募らせるおそれが高い。	消費者は、昨今相次いでいる、不良品発生事故によってメーカーやチャネルへの不信感を強め、情報開示の要求や不買運動などが活発化している。	競合は、当社のLX-20に比べてより高機能な新シリーズを売り出し、今回の事件とあいまって当社商品はLX-20を中心に市場シェアが下降し始めている。	自社では、市場シェアの下降傾向がLX-20以外にも見え始めており、今回の事故によって長年培った消費者からの信頼感を一挙に失墜することになりかねない。

◀ ─ ─ ─ ─ ─ ─ ─ ─ ─ ─ MECEではない！ ─ ─ ─ ─ ─ ─ ─ ─ ─ ─ ▶

れもあやしい。例えば、「競合企業はどうか？」「販売チャネルはどうか？」といった要素が欠落している。このような根拠を示されても、コミュニケーションの相手は重複や漏れを感じ、結論に対して納得感を得られない。

　並列型の論理パターンを使うときには、課題に対する結論を導く上で、根拠や方法が、十分な視野の広がりを持って、重複・漏れ・ずれがなく——MECEに構成されることが重要だ。

MECEな切り口が相手を説得するのに妥当なものであること

　さらに、同じ結論を説得する際に、MECEな根拠の構成方法は一通りしか

ないか、と言うとそうではない。

　例えば、「当社は事務のアウトソーシングを行うべきかどうか」という課題に対する結論「アウトソーシングすべきである」とその根拠を論理構成する場合はどうだろう。図6-5で確認してみよう。

　ケースA、ケースBとも、2つの根拠がMECEな構成になっている。

　このように、MECEな根拠のセットが複数同時に成り立つことがある。こうしたときには、あなたの結論を正確に相手に理解してもらうために最も有効なものはどれか、という視点からMECEな根拠のセットを選択する。

　この事例で「アウトソーシングすれば、当該事務の提供部署にとってだけでなく、サービスの受益者側にも質の向上やスピードアップ等の大きなメリットがある」という点を訴求することが、説得する上で得策ならば、ケースAが妥当だろう。

　また、アウトソーシングするときのメリットとデメリットが非常に気になり、とりわけデメリットに敏感なためにアウトソーシングに踏み切れない相

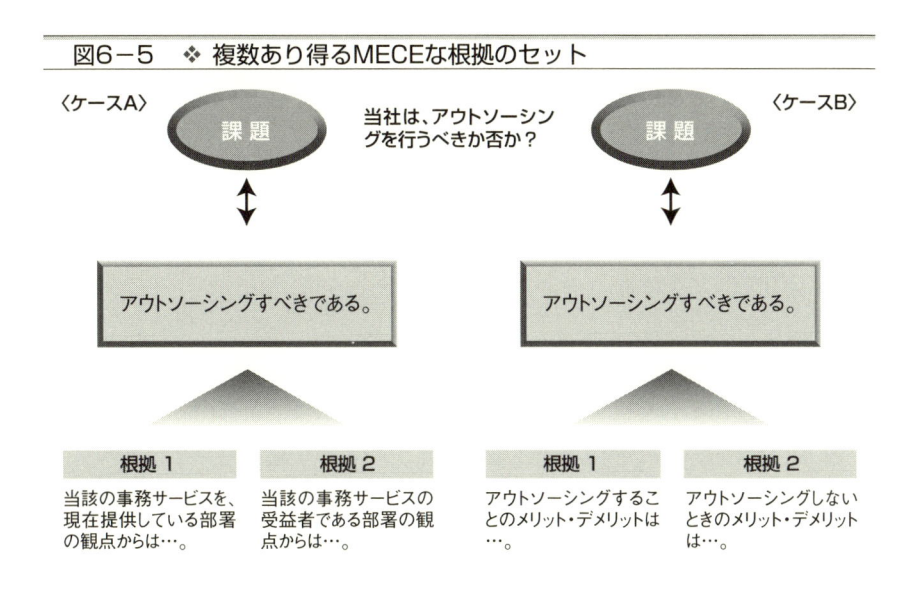

図6-5 ❖ 複数あり得るMECEな根拠のセット

〈ケースA〉

- 課題：当社は、アウトソーシングを行うべきか否か？
- アウトソーシングすべきである。
  - 根拠1　当該の事務サービスを、現在提供している部署の観点からは…。
  - 根拠2　当該の事務サービスの受益者である部署の観点からは…。

〈ケースB〉

- 課題：当社は、アウトソーシングを行うべきか否か？
- アウトソーシングすべきである。
  - 根拠1　アウトソーシングすることのメリット・デメリットは…。
  - 根拠2　アウトソーシングしないときのメリット・デメリットは…。

手ならどうか。この場合には、ケースBの構成にして、アウトソーシングしないときのデメリットが、アウトソーシングしたときのデメリットをはるかに上回ることを見せることが有効だろう。

◆── 適用ケース

　並列型は、論理構造が極めてシンプルなもので、使用上の留意点を守って正しく構成できれば、伝えられる相手にとっても理解しやすい構造だと言えよう。特に次のような場合に使うと便利だ。

・課題やテーマに対して、十分な理解度や興味を期待できない相手に、自分の論旨の全体像を簡潔に示したいとき。
・決定事項の連絡や確認など、結論に関して相手とは議論の余地がない内容を、全体像を簡潔に示して伝えたいとき。
・自分の思考や検討の広がりに、重複や漏れ、ずれがないことを強調して、相手を説得したいとき。

2 解説型

◆── 解説型の構造

　もう1つの論理の基本パターンは解説型だ。その構造は図6−6のように、結論を頂点に、それを支える複数の根拠が縦方向には、並列型と同じようにSo What? /Why So? の関係にある。一方、複数の根拠は常に3種類の要素があり、それらが横方向に以下の順で並んでいる。図6−1の並列型と図6−6の解説型を見比べ、その違いを図のイメージとして頭にインプットしておこう。

・課題に対する結論を導き出すために、相手と共有しておくべき「**事実**」
・「事実」から、結論を導き出すための伝え手としての「**判断基準**」
・「事実」を「判断基準」で判断した結果、どのように評価されるのかという「**判断内容**」

この3つの要素すべてが、結論に対する根拠となる。MECEという観点から見れば、「事実」と、「判断基準」および「判断内容」とに切り分けられ、前者が客観的な根拠、後者が主観的な根拠になる。

解説型の論理パターンで論理構成した事例を、図6-7、図6-8で見てみ

図6-6 ❖ 論理の基本パターン②：解説型

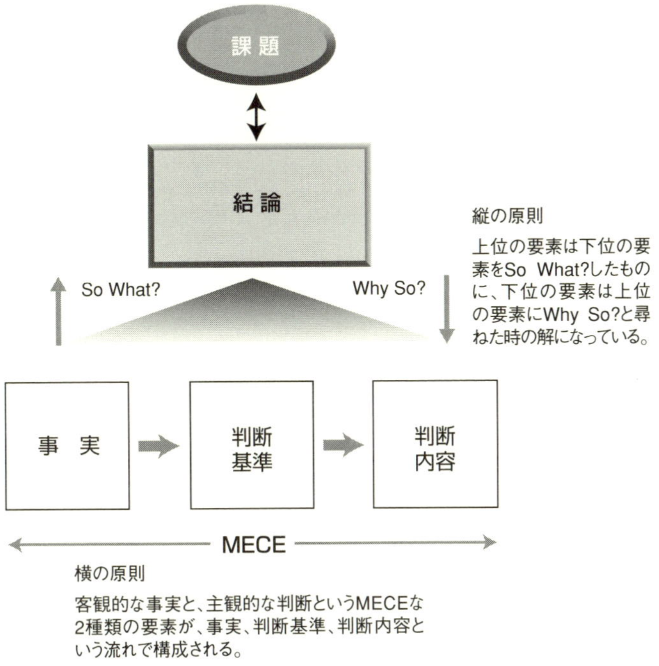

```
                    課 題
                     ↕
                    結 論
          So What? ↑   ↓ Why So?

      事 実  →  判断基準  →  判断内容

      ←――――――  MECE  ――――――→
```

縦の原則
上位の要素は下位の要素をSo What?したものに、下位の要素は上位の要素にWhy So?と尋ねた時の解になっている。

横の原則
客観的な事実と、主観的な判断というMECEな2種類の要素が、事実、判断基準、判断内容という流れで構成される。

よう。この事例は、先に並列型で紹介した図6-2、図6-3と同じで、ある消費財メーカーが不良品発生に対処する、というケースを想定している。

根拠を解説する

　図6-7の論理構成の前提となる課題は、「不良品発生という事態にいかに対処すべきか」で、結論は、「当社は、中核商品の不良品発生の影響を最小化するという視点に立ち、全チャネルでの管理体制を見直し、安全性を世の中に訴求する」というものだ。

　この結論を説明するために、解説型ではまず、当社が置かれている事実（状況）を述べる。事実（状況）とは、伝え手の主観が入らない、伝え手にとっても相手にとっても同様に客観的なものだ。ここでは、レベル2の事実に対してWhy So? と聞かれた場合に、それに答えられるよう、レベル3に4C（市場・競合・自社・チャネル）の各観点から4つの根拠を構成した並列型を組み合わせている。こうして最初に、客観的な現状について相手と共通認識を作る。

　次に、2つ目の根拠の要素として、当社としてどのような視点で今回の不良品発生に対処すべきかという判断基準を述べる。最初に述べた状況の中から、結論を導くために、伝え手がどのような考え方をとるのかを提示するわけだ。ここでは「不良品発生が中核商品で起きたので、全社への悪影響を最小化するという視点で対処すべき」と提示している。もし、不良品が発生した商品が中核商品でなかったら、「対処に要するコストを最小限に抑えること」という基準が設定されることもあり得るだろう。

　そして3つ目の根拠の要素として、状況を判断基準に照らしてみると、どのように判断できるのか、判断内容を説明する。「全チャネルでの管理体制の見直しによる不良品再発防止」と「世の中への安全性のアピール」を行うべき、という判断の内容で結論を支えている。

　このような事実、判断基準、判断内容の3つの根拠全体が、結論にWhy So? と尋ねたときの答えとなり、逆にこれら3つをSo What? したものが結

図6-7 ❖ 根拠解説型の例

課題：当社は、量販店チャネルの管理不全による、中核商品LX-20の不良品発生という事態にいかに対処すべきか？

レベル1

結論：当社は、中核商品の不良品発生が全社にもたらす悪影響を最小化するという視点に立ち、全チャネルで管理体制を見直し、世の中に安全性を訴求する。

レベル2

事 実	判断基準	判断内容
量販店での管理不全の影響は、LX-20の売上不振のみならず、他チャネル、他商品への消費者やチャネルの不安感に広がりつつある。	LX-20が当社の中核商品である点を考えると、当該チャネルや商品だけでなく、全社への悪影響の最小化という視点で対処すべきである。	当社は量販店のみならず、全チャネルの全商品について商品管理・販売体制を見直し、再発を防止する。同時に、当社製品の安全性を広く消費者に知らしめ、無用な憶測を防止する。

レベル3

市場の観点	競合の観点	チャネルの観点	自社の観点
消費者にとっては欠陥がチャネル管理にあったのか、商品にあったのかは問題ではない。消費者は、当社商品への不信感を強め、当社商品の消費者離れが進行している。	競合は、LX-20の類似商品を続々投入しており、LX-20の不振に乗じて売り込み攻勢をかけている。	コンビニなどの量販店以外のチャネルが、LX-20の取扱に慎重になっている。またこの傾向は、当社の他商品についても強まっている。	売上げの6割を占める中核商品LX-20の量販店での不良品発生以降、他チャネルからも、また他商品についても、不安の声が殺到している。また実際に、商品、チャネルによらず売上げが下降している。

第6章　論理パターンをマスターする

論になっている。

方法を解説する

　図6-7の結論が仮に相手と合意されたとしよう。この図6-8はそこから話が一歩進んで不良品発生への対処を「具体的にどのように進めるべきか」という課題が設定され、これに答える論理構成の例だ。課題は、方法並列型の図6-3の課題と全く同じ、また結論も「当社とチャネルが両者共同体制で進めていく」という点では同様だ。

　では、この方法解説型の図6-8と、方法並列型の図6-3の違いは何だろう。並列型の図6-3は、「当社とチャネルが両者共同体制で進めていく」という結論を、「どうやって進めるのか？」というやり方の観点から説明したものだ。確かに、管理体制強化の共同プロジェクトを組んだり、共同キャンペーンや広告活動を行うことで「当社とチャネルが両者共同体制で進めていく」ことは実現できそうだ。

　だが、果たして本当に「共同体制」が良いのか、チャネルに一任するとか、当社だけでやるとか、さまざまなやり方がある中で、「なぜ共同体制を組んでやるのが良いのか？」を説得しなければいけない場合には、この方法を選ぶべき理由を説得する必要があるだろう。そのようなときに、方法解説型を用いる。つまり、結論のアクションを実現する方法が複数ある中で、なぜこの方法がよいと考えるのか、その妥当性を訴求したいときに図6-8のような方法解説型の論理を構成する。

　まず、事実としては、考え得る不良品対処の方法を列挙する。ここでは主体によって、当社主体・チャネル主体・両者共同・両者で分担という4つの方法を挙げている。次に、判断基準として、4つの代替案の中からどのような選択の基準をもって今回の対処方法を評価・選択すべきか、という基準を述べる。ここでは、Aの消費者・市場から当社が、メーカーとしての責任を全うしていると好意的に受け止められる、Bのチャネルに対しては、その方法をとることで不祥事対応にとどまらず、関係を一層強化できる、の2つだ。

図6-8 ❖ 方法解説型の例

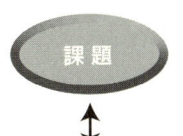

課題: 当社は、全チャネルの管理体制の再確認と、世間への安全性の徹底をどのように進めるべきか？

結論: 各チャネルの管理体制の見直しと安全性の周知徹底は、消費者・市場から好意的に受け止められること、またチャネルとの関係の一層の強化という点から、当社とチャネルが両者共同体制で進めていく。

事 実

全チャネルの管理体制の見直し、および世間への当社製品の安全性の徹底という2つの活動を進めるには、大きくは以下の4つの方法があり得る。

① 2つの活動とも、当社が主体になって進める。

② 2つの活動とも、チャネルに一任して進めさせる。

③ 2つの活動とも、当社とチャネルが共同体制をとって進める。

④ 2つの活動を、当社とチャネルが分担して進める。

判断基準

次の2つの視点から対応策を考える。

A
消費者・市場から、メーカーとしての責任を全うしていると好意的に受け止めてもらえる。

B
チャネルと、今回の不祥事への対応にとどまらず、関係を一層強化できる。

判断内容

① 事故の直接原因はチャネルにあるので、チャネルが積極的に関与しないと、メーカーとしてのチャネル管理の点でAについて負の印象を与える。また、Bは期待できない。

② Aについて、メーカーとしての責任放棄と受け止められる可能性が高い。Bの点もチャネルに負担感が大きく、しこりを残しそう。

③ Aについてはチャネルと当社が共同で対策を実行するので、納得感をもって受け止められるであろう。Bも、協働の過程で今後の取引上の改善点や新しい機会を見出すことが可能になる。

④ Aについては2つの活動全体の中に一貫性や整合性が見えにくい可能性がある。Bについても効果は限定的であろう。

以上から、③が望ましい。

そして、この2つの基準で、最初に挙げた4つの代替案を評価した判断内容を、3つ目の根拠として提示する。結論は「各チャネルの管理体制の見直しと安全性の周知徹底は、<u>消費者・市場から好意的に受け止められること、またチャネルとの関係の一層の強化という点から</u>、当社とチャネルが両者共同体制で進めていく」であり、判断基準である下線部が含まれて、「なぜ共同体制なのか？」という論点を示唆している。

　この事例は、結論に対してレベル2までの1階層で解説をしているが、結論に対してもっと詳しい説明が必要ならば、レベル3として並列型を組み合わせることによってさらに階層化すればよい。

　このように、解説型では、結論を支える根拠を、客観的な状況と、結論を導くための判断基準や判断内容という主観的なものとに明確に分けて提示する。したがって、客観的な事実を共有した上で、論理の伝え手の"考え方"を強調できることが大きな特徴だ。「なぜ、どうして、この結論に至ったのか」という自分の考え方を相手に示したいときに有効な論理構造と言えるだろう。

◆── 使用上の留意点

「事実」が正しいこと

　解説型では、「事実」を起点に結論を説明する。説得力のある解説型の論理を作るには、まず、正しい「事実」を相手に提示し、「なるほど事実はこうなっているのか」「確かにそうだ」と思わせ、相手をあなたの説明の土俵に乗せることだ。相手から見たときに、「事実」が「これでは事実認識に大きな誤りがあるではないか」、あるいは「これは事実というより、あなたの主観的な見方にすぎないのではないか」というようなものであっては、相手を説得することは難しい。

　残念ながら、プレゼンテーションや会議などの場で行われる説明や議論には、伝え手が一番伝えたい肝心要の結論に行き着く前の、現状認識や前提条

件などで議論紛糾して時間切れ、というようなケースが非常に多い。

　こうした事態を避けるためにも、「事実」の内容は、必ずMECEに整理しておくことだ。図6-7のように、事実の部分をレベル3として並列型で階層化し整理しておくとよい。

判断基準が明示され、かつ妥当な内容であること
　さらに、解説型の論理を作るときに大切なことは、結論を導き出すための「判断基準」が次の2点を満たしていることだ。

・判断基準がきちんと明示されている。
・その判断基準が、いま設定されている（あるいは自ら設定した）課題（テーマ）の答えを導き出すためのものとして、相手から見ても妥当な内容になってる。

　エディターという仕事がら、日々相当な数、種類の原稿を読むが、判断の結果だけが示され、判断の基準が示されない、というものが驚くほどに多い。こうしたコミュニケーションは、何もビジネス関連の文書だけではないようだ。
　例えば、コピーや製本等のオフィスサービスを利用しようとして、これまでも利用していた会社に発注したとしよう。今まで、2日のリードタイムで納品してくれたので、今回もそのつもりで依頼したところ、新しい営業マンは「このケースでは4日のリードタイムが必要」と言う。以前の担当者の対応との違いを聞いても、どういう場合には2日ででき、どういう場合には4日かかるのか、一向にはっきりせず、どうも釈然としない。こんな経験を、あなたも少なからずお持ちだろう。
　結論を出したからには、伝え手は必ず、何らかの基準を設定したはずだ。肝心なのは、その基準を相手がわかるようにきちんと示さないと、相手には決して納得してもらえない、ということだ。このことを、さる金融機関の融

資担当のビジネスマンに話すと、「顧客融資のお断りをするときに、正直に融資するかしないかの基準を言えればそんな楽なことはない」という反応が返ってきた。

しかし、本当にそうなのか？　顧客の立場になれば、案外率直に判断の基準を示された方が納得もできるし、銀行から融資を受ける以外の他のオプションを早期に検討するなど現実的な対応ができてよい、ということもあり得るのではないだろうか。また、顧客と企業などの買い手と売り手、あるいは医療のようなサービスの受益者と提供者の間にかつて存在した圧倒的な情報格差は、インターネットに象徴される情報通信技術の革新によって見る見るうちに縮まっている。顧客やサービスの受け手の側が、質量ともに相当な情報を入手してそれらを自分で整理するようになろう。すると、かつてはなんとなく煙に巻かれてうなずいてくれた相手も、明快な基準を示さなければなかなか首を縦に振ってくれない、という状況が多くなるのではないだろうか。

さらに、判断基準は、相手から見たときに妥当なものでなければならない。そうでないと、いくら基準が明示されても、相手は納得しない。

例えば、図6-8の解説型の、不良品発生の事態が、食品会社が食中毒による被害者を出してしまったようなケースだとしたらどうだろう。トラブルの種類は同じでも、社としての姿勢を広報するための論理を組み立てる場合、図6-8の論理では世の中の人は納得しないだろう。このようなときには、例えば、被害に会った人たちへの対応をどうするか、という観点からの判断基準が不可欠なことは言うまでもない。

また、例えば、電話が不通になったケースなら、トラブルへの対応の基準には、迅速さという点が入っていなければ、納得感は得られない。妥当性のある判断基準を設定するには、課題（テーマ）を十分に確認することが重要になる。

事実、判断基準、判断内容の流れが一貫した内容になっていること

そして、最後に、図6-7、図6-8のように、基準に照らしてどのよう

な判断を下したのかがはっきりわかるように考えが伝わるよう、事実→判断基準→判断内容という流れの中に意味上の一貫性があること、が大事だ。そしてあくまでも問われるのは、相手にその一貫性がわかるかどうか、であることを強調しておきたい。

例えば、図6-8で考えてみよう。この論理の課題は「当社は全チャネルの管理体制の見直しと、世間への安全性の徹底をどのように進めるべきか」だ。これに対して、当社単独、チャネルに一任、両者で分担など進め方の代替案はあるが、その中で「共同で進める」という方法を選び、これを結論として説明する解説型だ。ここで事実→判断基準→判断内容が一貫しなくてはならない、とはどういうことか。それは、まず、事実の部分で方法①、方法②、方法③、方法④という4つの代替案を説明し、判断基準でA、Bという2つの基準を設定したのなら、3つ目の根拠である判断内容の部分では方法①、②、③、④のそれぞれをA、Bで評価した中身を提示しなければならない、ということだ。図6-8はそのようになっている。

ところが、プレゼンテーションのリハーサルや提案書のドラフトなどでよく見られるのは、最初に4つの代替案を提示しながら、判断内容の部分では、伝え手が最も望ましいと思う方法①についての評価結果しか提示されていない、あるいは、判断基準をA、Bと2つ設定しながら、判断内容で提示されたものを見る限り、どうも基準Bで評価した結果がない、とか、第3の基準Cで評価されている、というようなものだ。これでは、事実→判断基準→判断内容の意味上の流れが一貫せず、相手は納得感を持つことができない。

◆── 適用ケース

解説型は、結論に対する根拠を、客観的な根拠（事実）と伝え手の主観的な根拠（判断基準と判断内容）に分けて示す。したがって、伝え手の考え方自体が強調される論理構造なので、以下のような場合に有効だ。

・客観的な事実で共通認識を作り、自分の思考の流れを示して、相手に自分の結論の妥当性を強調したいとき。
・自分の考え方に対して、相手から意見や助言をもらいたいとき。
・複数の代替案の中から、選び取った代替案の妥当性を証明したいとき。

COLUMN
自分の専門分野ほど要注意

　説明を受けて、「そのようにも思えるが、しかしホントにそうなのか？」と何か釈然としないことがある。そうしたケースを見ると、結論を導くための判断基準自体がきちんと示されていないことが多い。

　下のケースを見ていただきたい。もし患者さんが基本的な医学知識を持っていれば、「αは善玉でβは悪玉なので、αだけが高くβは正常値の自分は、特に問題はないのだ」と推察する。説明から抜け落ちている判断基準を自分の頭の中で補って結論を理解するわけだ。しかし、ドクターのこの結論は、理論上は別の基準であっても成り立つ。例えば、「α、βの両方ともが正常値でない場合以外は医学的に問題がないので何もしないでよい」という基準でも成り立つだろう。

　判断基準をはっきり示さないと、相手は、土地勘がなければ結論を全く理解できない。あるいは、伝え手の考え

（患者）私はコレステロールが高いのですが、治療や生活改善の必要がありますか？

（医師）いいえ、ありません。なぜなら

血中コレステロールには、α、βの2種類があるが、あなたはαの値が正常値より3割高く、βは正常値です。

よって

あなたの場合、βは正常値であり、αも問題はない。ですから、特に治療や生活改善の必要がなく、これまでどおりの食生活、運動量を維持すればよいのです。

並列型と解説型のイメージをつかんでいただけただろうか。マスターするには何よりもまず実際に使ってみることだ。次頁からの集中トレーニングから始めてみよう。

る基準とは全く異なるものを勝手に想定して結論を曲解するかもしれない。いずれにしても、結論を正しく理解していないので、似たような事態に遭遇したときに応用動作ができない、いつも同じ質問を質問を繰り返す、といったことになる。

伝え手の専門分野、経験豊富な分野ほど、伝え手自身にとっては自明なために、判断基準の提示が不十分になりがちだ。いま、根拠として用意した要素の中に相手にとって十分な判断の基準があるかどうか、ぜひ確認してみよう。

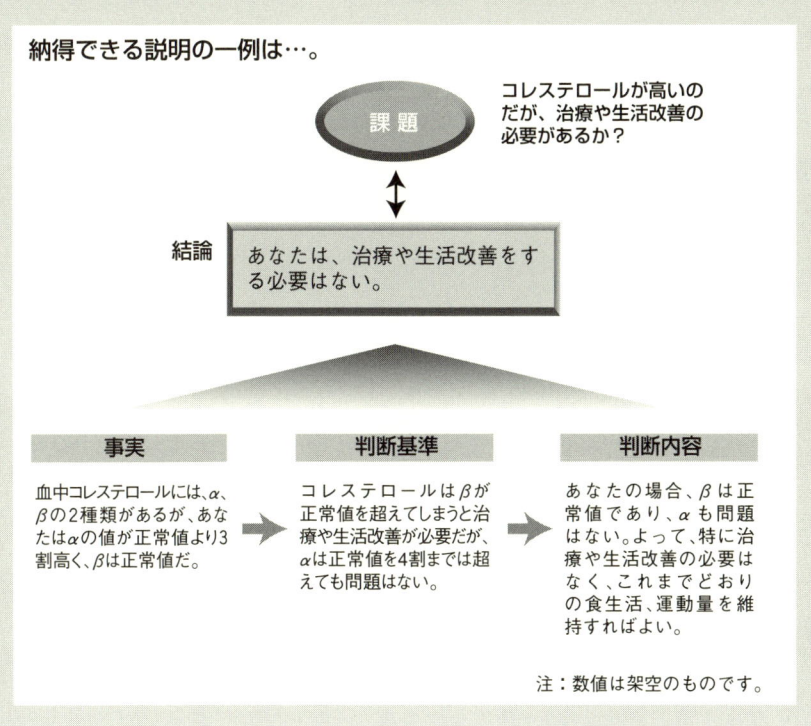

納得できる説明の一例は…。

課題 — コレステロールが高いのだが、治療や生活改善の必要があるか？

結論　あなたは、治療や生活改善をする必要はない。

事実	判断基準	判断内容
血中コレステロールには、α、βの2種類があるが、あなたはαの値が正常値より3割高く、βは正常値だ。	コレステロールはβが正常値を超えてしまうと治療や生活改善が必要だが、αは正常値を4割までは超えても問題はない。	あなたの場合、βは正常値であり、αも問題はない。よって、特に治療や生活改善の必要はなく、これまでどおりの食生活、運動量を維持すればよい。

注：数値は架空のものです。

集中トレーニング３

1
論理パターンの基本をマスターしよう

並列型と解説型の基本の練習をしよう。

例題

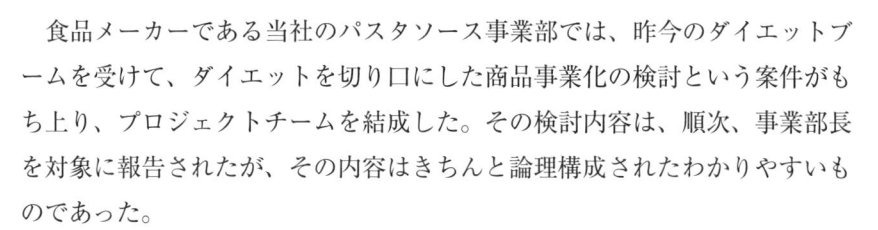

　食品メーカーである当社のパスタソース事業部では、昨今のダイエットブームを受けて、ダイエットを切り口にした商品事業化の検討という案件がもち上り、プロジェクトチームを結成した。その検討内容は、順次、事業部長を対象に報告されたが、その内容はきちんと論理構成されたわかりやすいものであった。

　次の図のA、B、Cの空欄に、①〜⑤中の適切なものを入れて、正しい論理パターンを作ってみよう。

◇──考え方と解答

Step 1　論理パターンの型を確認する

　この図は見ての通り、並列型の論理パターンだ。しかし、仮に、このように論理パターンが図表化されていなくても、現状（事実）を説明するための論理なのだから、使うべき論理パターンは並列型になる。判断基準を設定して何かを判断する、という解説型は馴染まない。

Step 2　結論を選ぶ

　「課題（テーマ）」を確認して、どのような結論なら課題の「答え」の核として合致するのかをチェックする。課題が、「当社のパスタソース事業の現

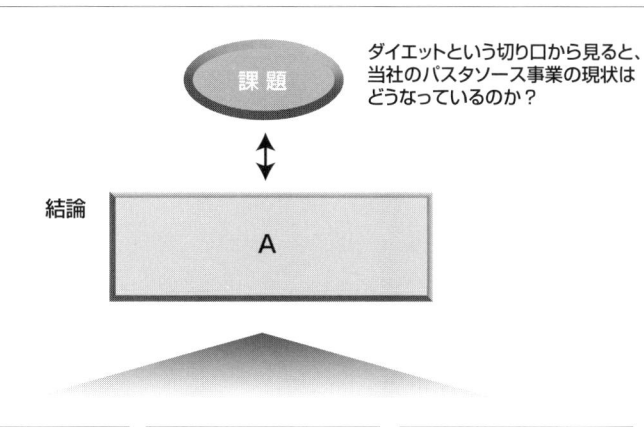

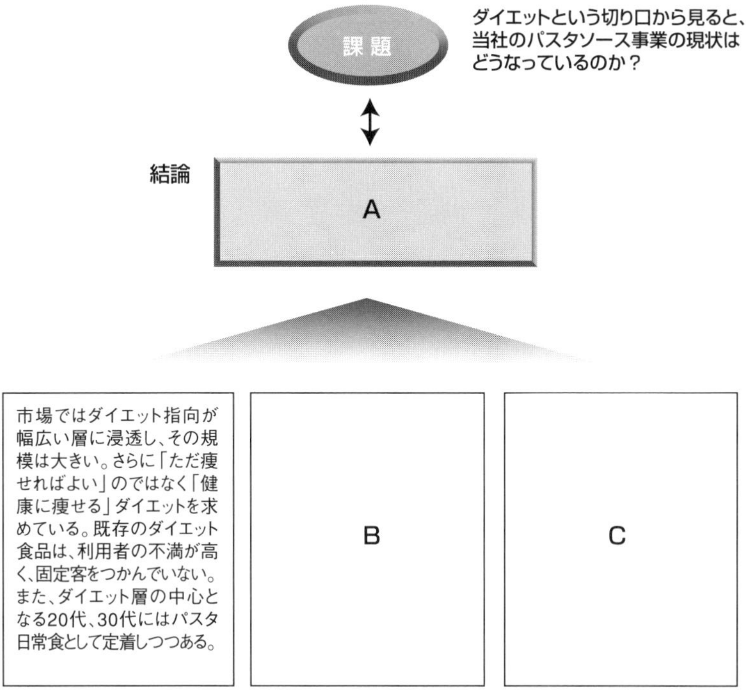

課題：ダイエットという切り口から見ると、当社のパスタソース事業の現状はどうなっているのか？

結論：A

	B	C
市場ではダイエット指向が幅広い層に浸透し、その規模は大きい。さらに「ただ痩せればよい」のではなく「健康に痩せる」ダイエットを求めている。既存のダイエット食品は、利用者の不満が高く、固定客をつかんでいない。また、ダイエット層の中心となる20代、30代にはパスタ日常食として定着しつつある。		

① 当社の強みを洗い出すと、昨年特許をとった調合スパイスがダイエット効果ありと専門家の注目を集めていること、近々、他事業部から「おしゃれ、ダイエット」をコンセプトとする商品が開発されること、また日常食ブランドとして市場の評価とコスト競争力が確立していることが挙げられる。

② 各社が提供しているダイエット食品は、間食的なものや薬の延長線上のもの、あるいは治療用がほとんどで、健康人の食事となるものはほとんど存在していない。ここにきて多くの食品メーカーがこの市場に着目し、検討を始めようとしている。

③ 20代、30代のトレンドセッターを中心に、パスタを主食として、普通に食事をして減量効果がある「バレリーナダイエット法」が爆発的に広まり、パスタの日常食化が進んでいる。

④ ダイエットという切り口で市場を見ると、かなりの規模が見込まれる。また、消費者は痩せさえすればよいのではなく、「毎日手軽に食べられるおしゃれなダイエット食品」を求めている。これに対し競合各社は横一線の状況だが、当社にはスパイスの特許などいくつかの優位性がある。

⑤ 当社の商品はパスタソース市場において、だれでも一度は食べたことのある、ベーシックで手軽な価格の日常食ブランドとして評価されている。コスト競争力も高い。

状はどうなっているのか？」なので、結論は当然のことながら、「ダイエットという視点から見たときの当事業の現状」を説明したものになる。

結論Aの候補になりそうなのは、①か④。結論Aは、3つの根拠全体と、So What? /Why So? の関係になるので、結論の中には市場について述べた左端の根拠ともSo What? /Why So? になる要素が含まれなければならない。④は市場の要素を含み左端の根拠とSo What? /Why So? になっている。しかし、結論①には市場の要素がない。よって結論は④になる。

Step 3 　根拠B、Cを選ぶ

結論④をよく読み、縦方向のSo What? /Why So? から、根拠B、Cの切り口を考える。④には、市場の要素以外に、「競合各社横一線」や「スパイス、特許などの当社の強み」といった要素が含まれる。よって、この点を詳しく説明する「競合」と「当社」という切り口の根拠が必要、ということになる。

同時に、根拠間の横方向の関係はMECEにならねばいけない。左端の市場の話と、縦方向の法則から導いた「競合」と「当社」という切り口を束ねて考え合わせると、事業の現状をMECEに捉える3C（市場・競合・当社）の観点で根拠が用意されるべきことがわかる。

この点から、選択肢を見ていくと、B、Cには、「競合」面の根拠として②が、「当社」の観点の根拠として①が入る。⑤も確かに「当社」の要素だが、これでは結論④との間にSo What? /Why So? の関係が成り立たない。

問題 1

空欄A、Bに、①〜④の中の適切なものを入れて、正しい論理パターンを作ってみよう。

ヒント1　結論Aがどのような内容ならば、この課題の答えの核になり得るのか？　「事業化に取り組むべきか？」という課題に答えるには、最終的

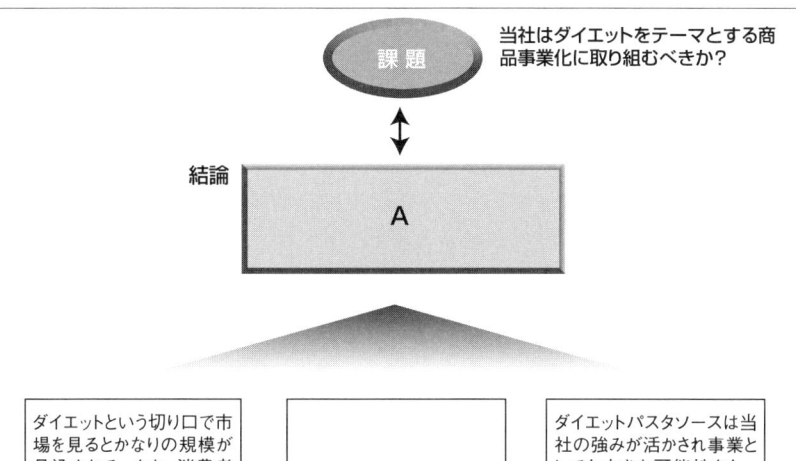

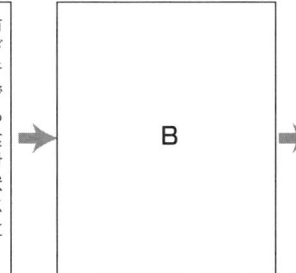

課題：当社はダイエットをテーマとする商品事業化に取り組むべきか？

結論　A

ダイエットという切り口で市場を見るとかなりの規模が見込まれる。また、消費者は痩せさえすればよいのではなく、「毎日手軽に食べられるおしゃれなダイエット食品を求めている。これに対し競合各社は横一線の状況だが、当社にはスパイスの特許などいくつかの優位性がある。	B	ダイエットパスタソースは当社の強みが活かされ事業としても大きな可能性をもっており、当社は積極的に取り組むべきである。その際、「毎日手軽に食べられるおいしいダイエット食」という新しい商品カテゴリーの一番手となることが重要で、事業化のスピードが決め手となる。

① このような現状を踏まえ、ダイエットをテーマとするパスタソースの事業化の是非を考えるうえでは、自社の強みが活かせるのか、競争は激しすぎないか、儲かるのかという3点を、判断基準とする。

② 薬やコンニャク、ゆで卵などに頼るダイエット法は、まずくて続かない、不健康と不評で、きちんと食事をして健康に痩せることがトレンドになりつつある。既存のダイエット食品は、味やおしゃれっぽさの点で不満が高く、顧客は特定ブランドを継続的に選択してはいない。

③ ダイエット食を専門に扱っている食品メーカーもあるが、糖尿病などの治療用のコントロール食に特化し、医療用のチャネルのみで販売し一般市場には出ていない。

④ ダイエット指向の食品市場は、未だニーズに合った商品はないが、ポテンシャルは大きい。当社は、「毎日手軽に食べられておいしいダイエット食」という新商品カテゴリーの開発者を目指して、事業化に早急に取り組むべきである。

にどういう類の答えがあり得るか。該当する選択肢は1つしかない。

ヒント2　この論理パターンは解説型だ。解説型の場合、根拠間の横方向の関

第6章　論理パターンをマスターする

係は、「事実」→「判断基準」→「判断内容」となる。判断基準にあたる根拠Bは、この課題を考えたとき、何を判断する基準になるべきだろうか？　Bの選択肢として妥当性のある内容とはどのようなものか？

> チェック！　Bに選択肢を入れて、3つの根拠を順に説明したときに、その内容に一貫性があり、それらと結論AがSo What?／Why So?の関係になるだろうか？

問題2

　空欄A～Gに、①～⑧の中の適切なものを入れて、正しい論理パターンを作ってみよう。

> ヒント1　この論理パターンは、課題からわかるように、事業化の方法を説明する並列型だ。

> ヒント2　結論では、事業化のアプローチを2つの観点から説明しており、それぞれが、A、Bの切り口になっている。

> ヒント3　Aの選択肢をよく読んで、あなたがAを実行するとしたら、どのような観点から詳しい方法論を知りたいと思うだろうか？　A全体が何についての内容かを考え、それに関連するMECEなフレームワークを思い浮かべてみよう。また、同じように、Bについてはどうか？　どういう要素がGに入るとMECEになるか？

> チェック！　事業化の方法を説明する並列型論理パターンの選択肢として、空欄A～Gには入り得ないものが1つある。それはどれで、なぜだろう？

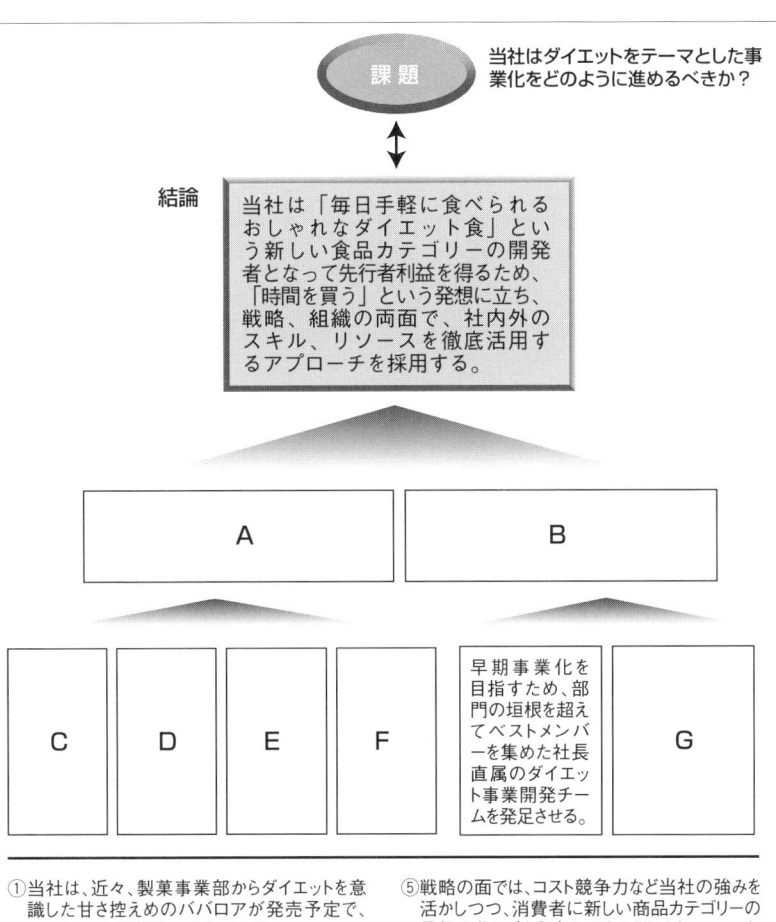

```
                    ┌─────────┐
                    │  課題   │   当社はダイエットをテーマとした事
                    └─────────┘   業化をどのように進めるべきか？
                         ↕
         結論    ┌─────────────────────┐
                 │ 当社は「毎日手軽に食べられる │
                 │ おしゃれなダイエット食」とい │
                 │ う新しい食品カテゴリーの開発 │
                 │ 者となって先行者利益を得るため、│
                 │ 「時間を買う」という発想に立ち、│
                 │ 戦略、組織の両面で、社内外の │
                 │ スキル、リソースを徹底活用す │
                 │ るアプローチを採用する。    │
                 └─────────────────────┘
```

A	B

| C | D | E | F | 早期事業化を目指すため、部門の垣根を超えてベストメンバーを集めた社長直属のダイエット事業開発チームを発足させる。 | G |

① 当社は、近々、製菓事業部からダイエットを意識した甘さ控えめのババロアが発売予定で、マーケティング活動が進んでいる。

② 組織の面では、事業化のスピードを確保するために、従来の商品部門ごとの縦割りの体制を廃して部門間連携を徹底し、併せて外部の専門家の活用を進める。

③ 価格については、日常食として多用されるために、また他社に追随させないために、パスタソースではなく、他のレトルト食品の売れ筋商品の価格を参考にする。

④ 当社に欠けている「おしゃれっぽい」商品のマーケティングスキルを補うべく、外部専門家のバーチャルチームを組織し、商品が軌道に乗るまでガイダンスを受ける。ここには投資を惜しまない。

⑤ 戦略の面では、コスト競争力など当社の強みを活かしつつ、消費者に新しい商品カテゴリーの最初の作り手と認知してもらえるよう、マーケティング戦略に力を入れる。

⑥ チャネルについては、ダイエット層の顧客密度が高いコンビニ、ドラッグストアを主力チャネルとする。当社の他の商品との食い合いが起こらないよう、「ダイエット食」という新たな陳列スペースを設けるよう働きかける。

⑦ プロモーションについては、「ダイエットパスタはアルファ社」という消費者の認知をいち早く作るよう、チャネルや顧客に対して、発売前から試作品テストなどのキャンペーンを前倒しで実施する。

⑧ 商品については、既存の「ミートソースライト」をベースに、注目の独自スパイスをフルに活かした新たなレシピの開発を短時間で開発する。

第6章　論理パターンをマスターする

2 非論理的なものを見抜く力をつけよう

　一見論理的に見えて、実は非論理的なわかりにくいもの。こんな文書や口頭での説明が巷にはあふれている。こうしたものも論理パターンを使いこなせば、論理的でわかりやすいものに改善できる。

例題

　次の文章は、「当社の健康食品事業の現状報告」をテーマに書かれたものだが、その論理がどうもすっきりしない。あなたなら、どう改善するだろう。正しい論理構成案を論理パターンで示してみよう。

結論：
当社の健康食品事業を取り巻く環境は、かなり追い込まれた状況にある。具体的には、次の３点がポイントである。

　①市場環境の観点：
　　ここ数年の消費の伸び悩みから、健康食品市場の規模は当初の予定ほどには成長せず、すでに価格競争に突入している。

　②商品の観点：
　　カルシウム増量パスタ、ビタミン補強米、食物繊維補強スープなどの「健康を意識した食品」が、新たなプレーヤーによって市場に投入され、シェアを高めている。これに対し、当社の主軸商品ミラクルXは、「薬のようなもの」で、ここ２年ほど売上不振に陥っている。
　　そもそも消費者の中では、栄養補助食品として開発された、「薬のようなもの」よりも、食品の中に各種栄養素を加えた「健康を意識した食品」というコンセプトの商品への関心が高まっている。これは、あらゆる世代で浸透している健康ブームによるものである。

③当社の観点：
当社の主軸商品ミラクルXは、特許を持つ特殊酵母を使用したもので、一定の価格プレミアムを得てきたが、ここ2年間売上が下降状態で、その結果全体の売上も低迷している。
また、最近、販路を拡大した結果、一部の販売チャネルで薬事法に抵触するようなセールストークを行い、それが消費者とのトラブルへと発展するケースが出始め、マイナスのイメージが顧客に広がりつつある。

◇── 考え方と解答例

Step 1　論理パターンの型を確認しておく

「当社の健康食品事業の現状を報告する」という設定から、論理パターンとしては並列型を用いることがわかる。

Step 2　正しいMECEな根拠の切り口を見つける

一見、論点が整理されているように見える文章だが、全体をよく読むと、どうも①～③に書かれている要素が、市場の観点、商品の観点、当社の観点という見出しと合わず、重複があると気がつくだろう。

②商品の観点の後半部分「そもそも消費者の中では、栄養補助食品として……あらゆる世代で浸透している健康ブームによるものである」は、市場の質的変化に関して述べていて、商品というよりも、市場の観点として整理した方がよさそうだ。

同じく②の「これに対し、当社の主軸商品ミラクルXは、……売上不振に陥っている」は、③当社の観点と重複があったり、行きつ戻りつですっきりしない。

さらに、①市場の観点、②商品の観点、③当社の観点という分け方で、果たして当社の健康食品事業の現状の全体像を捉えられるだろうか？　「いま、

事業の現状を考えており、市場と当社という要素がある。ならば、競合という観点はどうなっているのか？」と思考を巡らせられれば、ロジカル・コミュニケーションの基本動作がかなり身についたと考えてよい。MECEという技術を使うと、②商品の観点は、競合の観点とするべきことがわかる。

すると、結論を支える根拠は、①市場の観点、②競合の観点、③当社の観点という、3Cになる。

Step 3　3Cの枠に沿って根拠の要素を整理する

①市場の観点、②競合の観点、③当社の観点の枠の中に、いまあるすべて

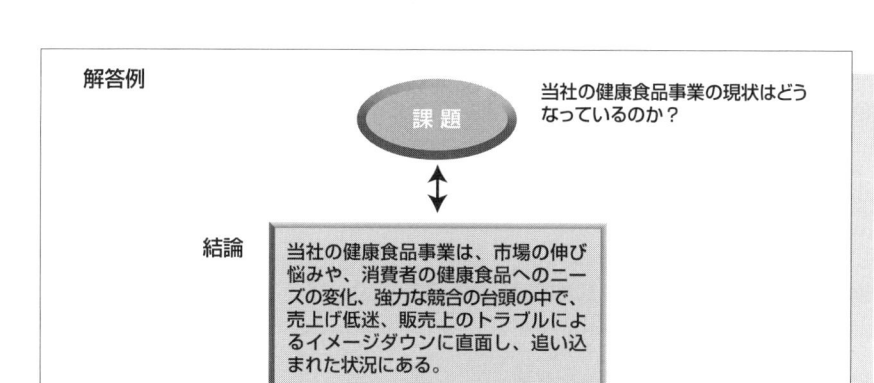

解答例

課題：当社の健康食品事業の現状はどうなっているのか？

結論：当社の健康食品事業は、市場の伸び悩みや、消費者の健康食品へのニーズの変化、強力な競合の台頭の中で、売上げ低迷、販売上のトラブルによるイメージダウンに直面し、追い込まれた状況にある。

市場
健康食品市場は、全体としては、ここ数年の消費の伸び悩みから、当初の予定ほどには規模が成長せず、既に価格競争に突入している。また、あらゆる年代で健康ブームが浸透し、健康食品に関しても、"薬のような"栄養補助食品ではなく、"健康を意識した食品"への関心が高まっている。

競合
カルシウム増量パスタ、ビタミン補強米、食物繊維補強スープなど、食品中に各種栄養素を加えた商品を開発する、新しい競合が台頭している。これらのメーカーが、薬効を売りに、錠剤のような栄養補助食品を提供してきた健康食品の老舗メーカーのシェアを食って市場地位を高めている。

当社
これまで一定の価格プレミアムを得てきた当社の主軸商品である、特許を持つ特殊酵母を使用した栄養補助食品ミラクルXは、ここ2年間売上げが下降状態。その結果、全体の売上げも低迷している。

の根拠の要素を正しくグルーピングして整理すると、図のようになる。

Step 4 根拠を So What? /Why So? してみる

さらに、こうして整理された根拠3つと結論が、So What? /Why So? の関係になっていることをチェックして、正しく論理構成されていることを確認する。

問題 1

競合X社は乳幼児向け通信教育事業「キッズチャンプ」に取り組み、過去5年間で年率8％という成長を遂げ、大きな成功を収めているようだ。そこで、部下にその実態を調べるように指示したところ、部下から早速報告を受けた。部下の報告の論点は、次のようなものだ。結論はこれで正しいのだろうが、どうも根拠（要因）に説得力がない。いったい、どの部分に問題があるのか。また、どのような方向で改善すればよいのだろうか？　正しい論理構成案を論理パターンで示してみよう。

結論：
キッズチャンプは、マーケティングの各面で、既存事業の活用と親のニーズに応えることを徹底して行っている。要因は以下の3点にまとめられる。

・要因1：
少子化によって親のエネルギーが1人や2人の子供に集中し、乳幼児の教育熱が高まる一方で、働く母親も急増している。

・要因2：
単に教えるための道具ではなく、子供とのコミュニケーションに悩む親が、子供との自然なやりとりの中でしつけや教育ができるよう、教材が工夫されている。また、親同士の情報交換を目的にした情報誌も配布しており、これらの点が多くの親に支持されている。

・要因3：
業界屈指の発行部数を誇る、X社母親向け月刊誌『素敵なママ』と『こうのとりの贈りもの』の読者を対象に、DMによる会員獲得を行い成果をあげている。会員数120万人というスケールメリットゆえに実現できている受講料月額1700円という、他の乳幼児教育プログラムに比べて極めて安く、優位性のある価格も入会者の高い評価を受けている。

> ヒント1 現状とその要因なので、並列型の論理パターンに整理したい。結論は正しいと前提したとき、根拠がどのような切り口で並んでいれば説得力のある説明となるだろう？ 結論は「キッズチャレンジは、マーケティングの各面で、既存事業の活用と親のニーズに応えることを徹底して行っている」とある。マーケティングの構成要素は、4P（価格・製品・プロモーション・販売チャネル）という切り口でMECEに分けることができる。

> ヒント2 MECEな切り口を見つけたら、その切り口ごとに入れるべき要素が、要因1、要因2、要因3で網羅されているか、重複なく整理されているかをチェックする。
> 要因2は、マーケティングの構成要素4Pの1つになっている。通信教育の教材や情報誌（の中身）は4Pのどれにあたるか？
> 要因3は、4Pのうちの2つの要素が混在している。どう切り分けができるだろうか？
> 要因1は、市場の動向を説明しているだけで、そもそもマーケティングの構成要素にならない。要因2、要因3から、4Pのどれが欠けているか？ その欠けているPが要因1だとしたら、現状の要因1にどのような要素を加えればよいだろうか？

問題 2

あなたは食品会社の商品企画担当課長だ。あなたのチームでは、昨今、あらゆる世代で関心が高まっているダイエットに注目し、ダイエットをテーマにした食品の事業化を企画して、経営陣に事業化の判断を仰ぐことになった。部下に経営会議での説明の骨子を考えるように指示を出したところ、次のような骨子を考えて説明に現れた。結論と事実認識はこれでよいのだが、後の部分がどうもしっくりしない。しっくりこない原因は何か？　どこを改善する必要があるか、指摘してみよう。

結論：
当社は早急に現在企画中の商品の事業化に取り組むべきである。

根拠
・現状：
ダイエット関連市場は、かなりの成長が見込まれている。消費者は、手軽で毎日食べられるダイエット食品を求めている。現在当社で企画しているのは、10個の食品の中から消費者がカロリーを計算しながら好みで組み合わせれば食事になる、という商品である。こうした市場ニーズに応える競合はまだなく、市場にヒット商品は存在しない。
・判断基準：
新商品をヒット商品に育てるには、その商品が消費者に新しい使用場面と、その商品から得られるベネフィット（便益）を訴求できるかどうかがカギとなる。
・判断内容：
現在企画中の商品を事業化した暁には、テレビの料理番組「スピード献立百科」や、主婦向け雑誌や健康雑誌とのタイアップを組み、カロリー計算が簡単な食材として大々的に拡販する。

> **ヒント1** 論理パターンは解説型でよいが、この判断基準は正しいか？　この場合、課題は、「ダイエットをテーマにした食品の事業化に取り組むべきか？」だ。

> **ヒント2** また、判断内容が、課題に照らして結論と整合しているか？　事実→判断基準→判断内容という流れを見たときに、一貫性がある判断内容かを確認してみよう。どのような内容であればよいだろう。

COLUMN
宝くじがあたったら

　解説型の論理では、起点になる「事実」が同じでも、「判断基準」が違えば、当然「判断内容」、ひいては「結論」が違ってくる。そこでちょっと頭の体操をしてみよう。

　あなたは幸運にも宝くじで100万円を当てた。「パソコンを買う」「車のローンを一括返済する」「家族旅行に行く」……、やりたいことはいろいろだが、せっかくの100万円を後悔しないように納得して使いたいと思う。また、独身貴族でなければ、家族にも「なるほどね」と納得してもらわねばならない。

　さて、あなたならどんな論理を組むだろう？　この場合に便利な論理パターンは解説型で、まず「事実」として100万円でやりたい、あるいはやらねばと思う選択肢の数々を挙げ、次に選択基準を設定し、判断内容を説明して、結論を証明する、というのが効果的だ。

　公開するのは少々恥ずかしいが、筆者2人がそれぞれ考えた論理は次の2つ。判断基準が違うので結論も当然違う。自分の結論を説得するためには、ぼんやりと頭の中に浮かんでいる基準をしっかり整理し、どんな風に伝えると相手に「なるほどね」と思わせることができるのか。こうした身近なコミュニケーションにも論理パターンは大いに活用することができる。

100万円の使いみち その1

課題: もし、宝くじで100万円あたったら、あなたは何をするか？

結論: 宝くじで100万円あたったら、私は美容整形をする！

事実

もし、いま100万円あったらやりたいことは3つ。
- 最近とみに記憶力の衰えを感じるので最高級脳ドックで脳の現状把握。
- 日頃の疲れを癒すため、南の島のリゾートで贅沢三昧の休日を過ごしてリフレッシュ。
- かねて気になっていたシワ・シミを画期的、かつ安全な美容整形術で一掃。

判断基準

この100万円が、天から降ってきたあぶく銭であることから、自分が額に汗して働いて得たお金では決してやる気になれない、費用対効果が最も怪しいことに使うべき。

判断内容

脳ドックも、贅沢三昧のバケーションも、一定の満足感、成果を得られるのは確実。しかし、美容整形は、本当に甲斐が合ったと思える仕上がりになるかどうかは極めて不確実。

よってこのあぶく銭は、蛮勇をふるって美容整形に投じる！

第6章 論理パターンをマスターする

100万円の使いみち その2

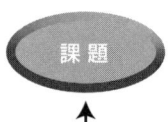

課題　もし、宝くじで100万円あたったら、あなたは何をするか？

結論　宝くじで100万円あたったら、最高級脳ドックに入る！

事　実

もし、いま100万円あたったらやりたいことは3つ。
・最近とみに記憶力の衰えを感じるので最高級脳ドックで脳の現状把握。
・日頃の疲れを癒すため、南の島のリゾートで贅沢三昧の休日を過ごしてリフレッシュ。
・かねて気になっていたシワ・シミを画期的、かつ安全な美容整形術で一掃。

判断基準

私はこれまで宝くじに大金を投じてきた。よってこの100万円は投資効果が最も確実なものに使うべき。

判断内容

南の島での休日は、気候や、同時期にどのようなお客がホテルに泊まり合わせるかで、大きく満足感が異なる。また美容整形も、効果のほどは不確実性が高い。

これに対して、脳ドックは、100万円かければ相当精度の高い診断を得られ、今後の人生設計に大いに役立つはず。

よって、この100万円は脳ドックに投じる！

第7章 論理パターンを使いこなす

1 論理パターンはこう使う

　自分の考えを論理構成するなどと言うと、さもいろいろなパターンがあって迷いそうだが、論理のパターンは第6章で紹介したように、並列型と解説型の2つだ。つまり、論理のパターンは2つしかない。並列型と解説型の2つをマスターすれば、これらを組み合わせることで、どのような課題（テーマ）に答える場合にも、自在に論理構成をすることができる。

　第6章で紹介した論理構成の事例は、全て1つの課題（テーマ）に対する答えを説明したり、提案したりするケースだった。しかし、実際のビジネスでは、例えば、何か新しい取り組みやアクションを提案するような場合、その取り組みがなぜ必要なのかという理由と、その取り組みの実行方法の両方を示したい、ということもある。自分が答えるべき課題がいくつあるのか、ということを考えたとき、基本になる2つの論理パターン——並列型と解説型をどのように組み合わせて論理構成をすればよいのかを見てみよう。

◆── 1つの課題に答えるとき

　論理構成をするときには、これまで述べてきたように、その論理でどのような課題（テーマ）に答えるべきかを確認することが重要だ。常に課題（テーマ）に対する、答えの核としての結論があり、その結論を支える根拠や方

法を論理パターンによって構成する。したがって、答えるべき課題が1つであれば、その答え全体は並列型、もしくは解説型で論理構成する。

しかし、実際のビジネス上のコミュニケーションでは、レベル2までの1階層の論理構造では相手のWhy So?に十分答えきれない場合が多い。そこで、レベル2にある根拠や方法の各要素をさらにレベル3として並列型や解説型の論理構造で構成して、論理パターンを縦に組み合わせることが必要になる。典型的な組み合わせ方は次の2通りだ（図7-1）。

コミュニケーション・トレーニングで受講生の方々から、「解説型で全体の論旨を組み、さらに各根拠も解説型で構成することはないのですか？」という質問をよく受ける。確かに、判断基準の部分は、その妥当性を説得する解説型で構成することは十分あり得る（コラム「判断基準の納得感こそ大事」参照）。だが、事実や判断内容を解説型で構成することはあり得ない。

また、「全体の論旨を並列型で組み、各論を解説型で組む」という組み合

図7-1 ❖ 1つの課題に答えるための論理パターンの組み合わせ

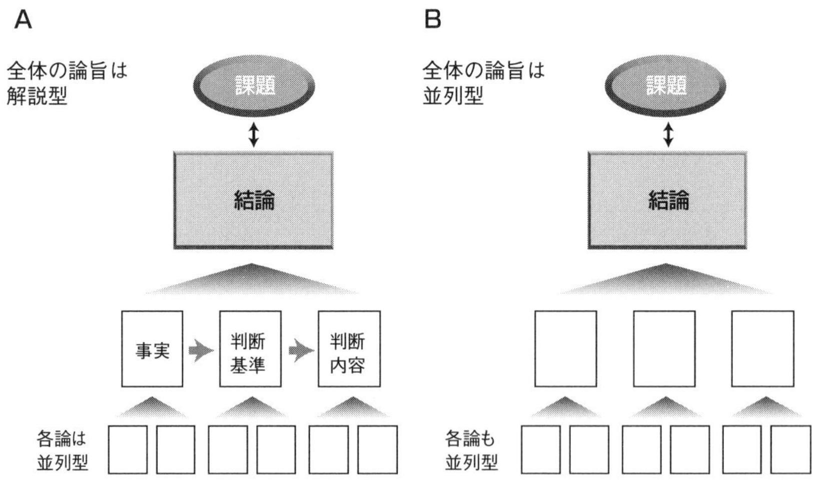

わせ方はあり得るが、極めてまれと言ってよいだろう。例えば、「当社の各事業は自力存続すべきか、他力活用すべきか」といった課題の答えを出すよ

COLUMN
判断基準の納得感こそ大事

　休日の電車の中で、こんな会話が聞こえてきた。

孫：「今度ね、ポケモンの新しいゲームが出るんだ。Ａちゃんも、Ｂちゃんも、Ｃちゃんも買ってもらうんだよ。僕も欲しい」
祖母：「それはダメ、ウチではファミコンやコンピュータ・ゲームは４年生になってからよ。ね、お兄ちゃんもそうだったでしょ。だからケン君もあと１年、我慢ね。よそのおうちはよそのおうち、ウチはウチなの」
孫：「なんでウチは違うの。そんなのウチだけ、みんな買ってるのに！」
祖母：「それぞれのおうちで考え方が違うのよ。おばあちゃんは買ってあげたいけど、ママの考え方なのよ」
孫：「なんで！」
祖母：「……」
孫：「絶対ヘンだ」

　なるほど。「ウチではファミコンやコンピュータ・ゲームは小学４年生になってから」——これが判断基準になって、おばあさんは孫にせがまれた人気のゲームを買わない、と言っているわけだ。しかし、なんで？　ケン君ならずとも聞きたくなる。なぜ小学４年生になるまでダメなのか？　この疑問に答えない限り、ケン君は友達が新しいゲームを手に入れるたびに、優しいおばあさんに一縷の望みを託してこんな会話を繰り返すに違いない。

　「事実→判断基準→判断内容」という流れで結論を支える解説型の論理構造の場合、判断基準が相手から見たときに妥当であることが、説得力の１つになる。ケン君とおばあさんの会話には、なぜ「ウチではファミコンは小学４年生になってから」なのかの根拠がない。だからちゃんと説明すれば聞き分けはありそうなケン君だが、納得していない。

　ビジネスでもこの本質は全く同じだ。例えば、複数の戦略代替案から何を選択するか、あるいはこの事業に投資すべきか否か。課題はいろいろだが、なぜこの判断基準を設定したのか、その根拠が示されなければ、結論を納得することはできない。ある企業で役員の方々を対象にロジカル・コミュニケーションの研修を実施したところ、「いかに判断基準を設定するか、そのロジックこそが経営の意思決定だ」と言った方がいた。まさにその通りだ。

うな場合は該当するだろうが、あまり多いケースではない。この場合には、もちろん各論の解説型の判断基準が同じものでなければならない。

◆── 2つの課題に同時に答えるとき

　実際のビジネスでは、1回のコミュニケーションで、2つの課題に同時に答えたい、というケースがある。第6章の図6-2、図6-3、図6-7、図6-8をもう一度見てみよう。消費財メーカーで発生した不良品という事態に、「どう対処すべきか」（課題1）、あるいは「それは具体的にはどのようなやり方で進めるのか」（課題2）という課題が設定され、その答えを並列型と解説型それぞれで論理構成した事例だ。

　仕事の中では、こうした2つの課題が同時に与えられ、課題1の答えである「対処の全体的な方向性」と、課題2の答えである「具体的な対処の方法」をセットにして伝える、ということがままある。この場合、答えるべき課題が2つあるのだから、結論も2つある。課題1については、「市場・競合・自社・チャネルへの影響を考えて、全チャネルでの管理体制を見直し、安全性を世の中に再度アピールする」という結論。課題2については、「全チャネルでの管理体制の見直し、安全性の世の中へのアピールともに、当社とチャネルとの両者の活動として進める」という結論だ。伝えなければならない結論が2つあるのだから、それぞれの結論を頂点に構成した論理構造を2つ作る必要がある。

　ところがよく見られるのは、2つの結論を無理やり1つの論理構造の中に押し込めようとしてうまくいかずに苦心したあげくにどうもすっきりしない"論理まがい"のものができあがるケースだ。2つの課題のもとに2つ結論を伝えようとするなら、2つの論理パターンを用意し、それを横方向に足し合わせる必要がある。論理パターンは第6章で見たように並列型と解説型の2つだけなので、組み合わせ方は4通りになる。

> 並列型＋並列型（図7−2、図7−3）

　「何をするべきか」「そのためには具体的にどう進めるか」という2つの課題の両方ともに、並列型の論理パターンを用いる組み合わせ。並列型は、第6章で述べたように、結論をMECEな根拠、もしくは方法で支え、結論の背景にある検討や思考が漏れも重複もなく、十分な広がりを持っていることを訴求して、相手を説得する。また、非常に単純明快な論理構造だ。
　図7−3は、不良品発生の事例に、並列型＋並列型を適用したものだ。この具体的な例を見ると、並列型＋並列型は、伝え手の答えの全体像を端的に示すことができることがわかる。

図7−2　❖　2つの課題に答えるための組み合わせ①

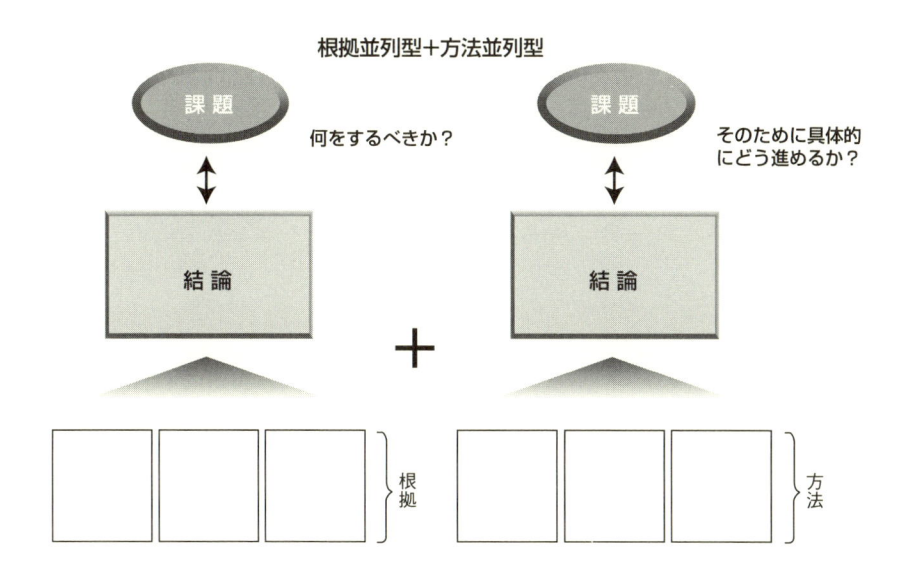

根拠並列型＋方法並列型

課題　何をするべきか？　　　課題　そのために具体的にどう進めるか？

結論　＋　結論

根拠　　　方法

第7章　論理パターンを使いこなす

図7-3 ❖ 組み合わせ①の例

根拠並列型

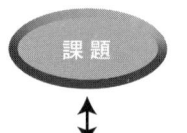

課題：当社は、量販店チャネルの管理不全による、中核商品LX-20の不良品発生という事態にいかに対処すべきか？

結論：当社は、市場、競合、チャネル、自社への影響を考え、全チャネルで管理体制を見直し、世の中に安全性を訴求する。

市場の観点	競合の観点	チャネルの観点	自社の観点
消費者や社会にとっては、チャネルの管理不全と当社製品の品質不良は同義であり、チャネルを問わず当社商品へ不信感を募らせるおそれが高い。	競合にとっては、LX-20の不良品発生は格好の攻撃材料であり、当社の顧客層が取り込まれるおそれが高い。	量販店での事故により、他チャネルが当社商品の管理について不安を持ち、取扱に消極的になるおそれがある。	LX-20だけでなく、当社製品にとって安全性、信頼性は生命線である。特定チャネルの販売管理の問題として片付けると、他のチャネル・商品への悪影響が懸念される。

方法並列型

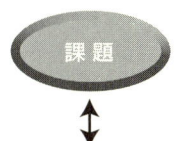

課題　当社は、全チャネルの管理体制の再確認と、世間への安全性の徹底をどのように進めるべきか？

結論　チャネルの管理体制の再確認、安全性の世間への徹底とも、チャネルと当社が共同体制を組み、あくまでも両者の活動として進めていく。

＋

全チャネルの管理体制の再確認の進め方

当社がチャネルを査察するのではなく、品質管理の向上を目的にした、当社とチャネルの共同プロジェクトを組んで、1ヶ月以内に診断と改善策を抽出する。

安全性の世間への徹底の進め方

チャネルと当社が共同で、各店舗での品質保証キャンペーンを実施し、新聞や雑誌への共同広告を掲載する。

その反面、伝え手の主観的な判断が客観的な事実と区別されていないので、「市場・競合・自社・チャネルへの影響を考えて、量販店だけでなく、全チャネルでの管理体制と安全性の社会へのアピールを徹底する」という結論に、伝え手がなぜ至ったのかという思考の流れを相手に訴えたいときや、考え方について相手と議論する必要がある場合にはあまり適さない。

　また、「そのためには具体的にどう進めるか」という課題については、「チャネルの管理体制、安全性の社会への徹底とも、チャネルと当社が共同で取り組む」ための方法を展開する構成になっている。そこで、「そもそも本当にチャネルと当社が共同で取り組むことがよいのか？」「不良品が発生したのは量販店なので、量販店チャネルが何か対策を講じればよいのでは？」といった疑問を持つ相手は説得されない。

　したがって、並列型＋並列型の組み合わせは、相手と結論の是非を議論する必要はなく、相手に結論を正しく理解して正しくアクションをとってもらいたい場合により有効と言える。例えば、社内の通達や事務連絡などが該当するだろう。

解説型＋並列型（図7－4、図7－5）

　「何をするべきか」という課題には解説型で論理構成し、「そのためには具体的にどう進めるか」という課題には並列型を用いた組み合わせだ。

　不良品発生のケース（図7－5）を見てみよう。「不良品発生という事態にどう対処すべきか」という課題には解説型を使っているので、コミュニケーションの受け手としては、客観的な状況を共有した上で、伝え手の不良品対処の判断基準が「全社への悪影響を最小化する」ことだと明示され、この視点で現状を判断した結果、結論に達したのだと理解する。

　このように、最初に客観的な事実を共有することで、相手をこちらの議論の土俵に乗せることができれば結論を納得させやすい。また、事実と主観的

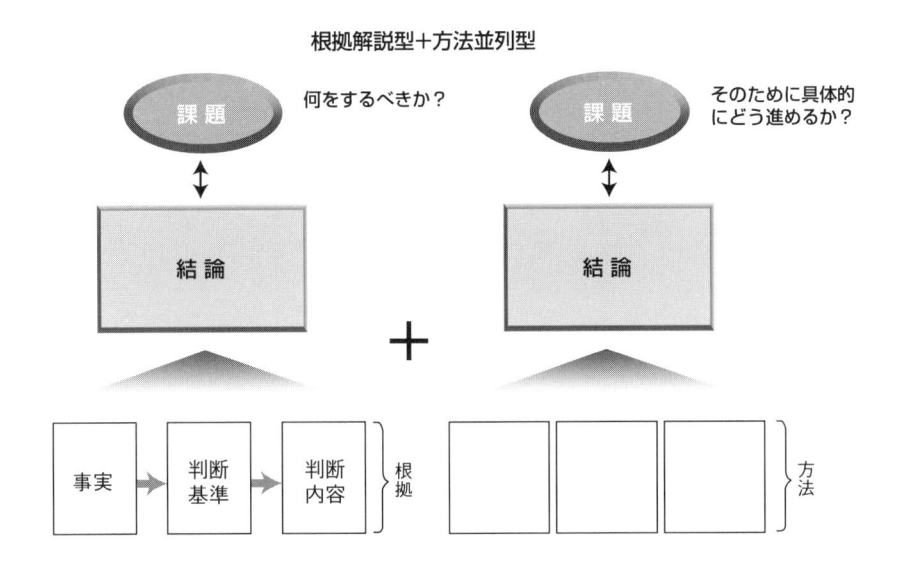

図7-4 ❖ 2つの課題に答えるための組み合わせ②

根拠解説型＋方法並列型

課題　何をするべきか？

結論

事実 → 判断基準 → 判断内容　｝根拠

＋

課題　そのために具体的にどう進めるか？

結論

｝方法

な考え方を区別して提示するので、仮に相手が異なる考え方を持ち、議論が必要な場合には、双方の論点の違いを整理しやすい。

　一方、「具体的にどのように進めるのか」という課題については、「チャネルの管理体制、安全性の社会への徹底とも、チャネルと当社が共同で取り組む」という結論を述べ、並列型によって具体的な方法を展開して説明している。相手は、伝え手の主張する不良品対処の方向性をとった場合には、どういうやり方になるのか、全体観をイメージできる。

　解説型＋並列型は、全体的な方向性について自分の答えの妥当性を説得することに主眼を置き、方法については全体像を端的に伝える、という場合に有効だ。例えば、「いまの段階では、新しい営業戦略の全体的な方向性についてしっかり相手と合意を形成する。そして、新戦略が机上の空論ではなく、

図7-5 ❖ 組み合わせ②の例

根拠解説型

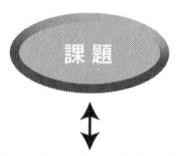

```
                        ┌─────────┐    当社は、量販店チャネルの
                        │  課 題  │    管理不全による、中核商品
                        └─────────┘    LX-20の不良品発生という
                             ↕          事態にいかに対処すべきか？
              ┌──────────────────────────┐
       結論   │ 当社は、中核商品の不良品発生 │
              │ が全社にもたらす悪影響を最小 │
              │ 化するという視点に立ち、全チ │
              │ ャネルで管理体制を見直し、世 │
              │ の中に安全性を訴求する。     │
              └──────────────────────────┘
```

事実	判断基準	判断内容
量販店での管理不全の影響は、LX-20の売上不振のみならず、他チャネル、他商品への消費者やチャネルの不安感に広がりつつある。	LX-20が当社の中核商品である点を考えると、当該チャネルや商品だけでなく、全社への悪影響の最小化という視点で対処すべきである。	当社は量販店のみならず、全チャネルの全商品について商品管理・販売体制を見直し、再発を防止する。同時に、当社製品の安全性を広く消費者に知らしめ、無用な憶測を防止する。

市場の観点	競合の観点	チャネルの観点	自社の観点
消費者にとっては欠陥がチャネル管理にあったのか、商品にあったのかは問題ではない。消費者は、当社商品への不信感を強め、当社商品の消費者離れが進行している。	競合は、LX-20の類似商品を続々投入しており、LX-20の不振に乗じて売り込み攻勢をかけている。	コンビニなどの量販店以外のチャネルが、LX-20の取扱に慎重になっている。またこの傾向は、当社の他商品についても強まっている。	売上げの6割を占める中核商品LX-20の量販店での不良品発生以降、他チャネルからも、また他商品についても、不安の声が殺到している。また実際に、商品、チャネルによらず売上げが下降している。

方法並列型

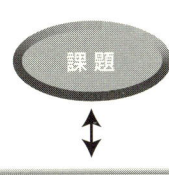

課題：当社は、全チャネルの管理体制の再確認と、世間への安全性の徹底をどのように進めるべきか？

結論：チャネルの管理体制の再確認、安全性の世間への徹底とも、チャネルと当社が共同体制を組み、あくまでも両者の活動として進めていく。

全チャネルの管理体制の再確認の進め方
当社がチャネルを査察するのではなく、品質管理の向上を目的にした、当社とチャネルの共同プロジェクトを組んで、1ヶ月以内に診断と改善策を抽出する。

安全性の世間への徹底の進め方
チャネルと当社が共同で、各店舗での品質保証キャンペーンを実施し、新聞や雑誌への共同広告を掲載する。

第7章　論理パターンを使いこなす

実現可能性があることを示す意味で、具体的な施策を端的に示しておきたい」といったケースに適用できる。あるいは相手の関心は戦略の方向性にあり、具体策については全体観を持てればいい、というようなケースに該当しよう。

並列型＋解説型（図7－6、図7－7）

「何をするべきか」という課題には並列型で論理構成し、「そのためには具体的にどう進めるか」という課題には解説型を用いた組み合わせ。図7－4と、ちょうど逆の順序で解説型と並列型を組み合わせる。

不良品発生のケースにこの並列型＋解説型をあてはめた例が、図7－7だ。

図7－6 ❖ 2つの課題に答えるための組み合わせ③

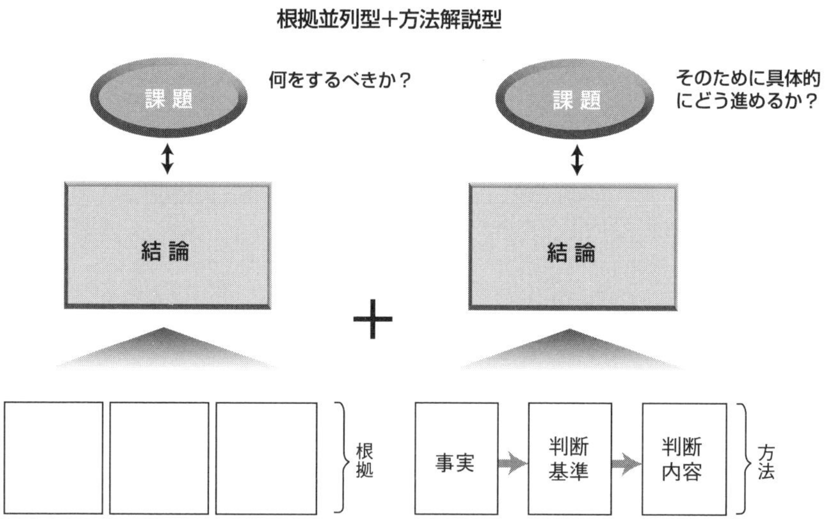

根拠並列型＋方法解説型

```
  課題          何をするべきか？        課題        そのために具体的
   ↕                                    ↕          にどう進めるか？
  結論                      ＋        結論

 ┌──┬──┬──┐ }根拠         ┌──┐→┌判断┐→┌判断┐ }方法
 │  │  │  │                 │事実│  │基準│  │内容│
 └──┴──┴──┘                 └──┘  └──┘  └──┘
```

「不良品発生にどう対処するか」という課題については、4Cの各観点からMECEな根拠を挙げて説明している。

そして、「具体的にどう進めるか」という課題に対しては、まず考え得る複数の対応策の案を提示する。次に、その選択基準「消費者・市場からは、メーカーとしての責任を全うしていると好意的に受け止めてもらえること。また、チャネルとは、今回の不祥事を機に関係を一層強化できること」の2点を示す。そして、この基準で最初に挙げた対応策を評価すると、「当社とチャネルの共同の活動として進めていく」という結論が選びとられる、という流れで説明していく。

COLUMN

課題はいくつ？

　ビジネスパーソンの方々の話を伺うと、どうも、指示を出す側も、出される側も、答えさせたい課題（テーマ）がいくつあるのか、答えるべき課題・テーマがいくつあるのか、ということを相互に確認することがないのではないかと思われる。

　指示する上司も報告する部下も、「X社への○○の拡販について」といった漠然とした形でなんとなく課題を共有したつもりになっていることが多いようだ。しかし、実は上司は、「X社への○○の拡販の基本方針」と、「この4半期の具体的な拡販プラン」という具体論の2つを求めていたとする。そのことを指示するときにはっきり伝えておかないとどうなるか。部下は、具体的な拡販プランはこと細かく報告するのだが、全体としてどういう考え方で個々の打ち手を講じるのかをしっかり考えていないので、打ち手に一貫性がなく、全く全体観がつかめない。やり直しを命じなくてはならない……。こんなケースをあなたも経験したことはないだろうか。

　こうした非効率を避けるために、少なくとも指示を出す側としては、課題（テーマ）がいくつあるのかをぜひ明示したいものだ。「X社への○○の拡販について考えてくれ」と言うのではなく、「X社への○○の拡販の基本方針と、この4半期の具体的な拡販プランの2つを報告して欲しい」というように。そして指示を受ける側も、漠然とした指示を受けたら、ぜひ「課題は、X社への○○の拡販についての基本方針と、具体的な拡販プランの2点ですね」と確認しよう。

図7-7 ❖ 組み合わせ③の例

根拠並列型

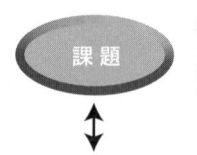

課題：当社は、量販店チャネルの管理不全による、中核商品LX-20の不良品発生という事態にいかに対処すべきか？

結論：当社は、市場、競合、チャネル、自社への影響を考え、全チャネルで管理体制を見直し、世の中に安全性を訴求する。

市場の観点	競合の観点	チャネルの観点	自社の観点
消費者や社会にとっては、チャネルの管理不全と当社製品の品質不良は同義であり、チャネルを問わず当社商品へ不信感を募らせるおそれが高い。	競合にとっては、LX-20の不良品発生は格好の攻撃材料であり、当社の顧客層が取り込まれるおそれが高い。	量販店での事故により、他チャネルが当社商品の管理について不安を持ち、取扱に消極的になるおそれがある。	LX-20だけでなく、当製品にとって安全性、信頼性は生命線である。特定チャネルの販売管理の問題として片付けると、他のチャネル・商品への悪影響が懸念される。

方法解説型

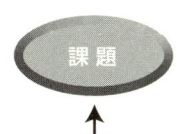

```
                    ┌─────┐    当社は、全チャネルの管理体制の再
                    │ 課題 │    確認と、世間への安全性の徹底をど
                    └─────┘    のように進めるべきか？
                       ↕
         ┌──────────────────────────┐
   結 論 │ 各チャネルの管理体制の見直しと安全 │
         │ 性の周知徹底は、消費者・市場から好 │
         │ 意的に受け止められること、またチャ │
         │ ネルとの関係の一層の強化という点か │
         │ ら、当社とチャネルが両者共同体制で │
         │ 進めていく。                      │
         └──────────────────────────┘
```

事 実	判断基準	判断内容
全チャネルの管理体制の見直し、および世間への当社製品の安全性の徹底という2つの活動を進めるには、大きくは以下の4つの方法があり得る。 ①2つの活動とも、当社が主体になって進める。 ②2つの活動とも、チャネルに一任して進めさせる。 ③2つの活動とも、当社とチャネルが共同体制をとって進める。 ④2つの活動を、当社とチャネルが分担して進める。	次の2つの視点から対応策を考える。 A 消費者・市場から、メーカーとしての責任を全うしていると好意的に受け止めてもらえる。 B チャネルと、今回の不祥事への対応にとどまらず、関係を一層強化できる。	①事故の直接原因はチャネルにあるので、チャネルが積極的に関与しないと、メーカーとしてのチャネル管理の点でAについて負の印象を与える。また、Bは期待できない。 ②Aについて、メーカーとしての責任放棄と受け止められる可能性が高い。Bの点もチャネルに負担感が大きく、しこりを残しそう。 ③Aについてはチャネルと当社が共同で対策を実行するので、納得感をもって受け止められるであろう。Bも、協働の過程で今後の取引上の改善点や新しい機会を見出すことが可能になる。 ④Aについては2つの活動全体の中に一貫性や整合性が見えにくい可能性がある。Bについても効果は限定的であろう。 以上から、③が望ましい。

第7章　論理パターンを使いこなす

この並列型＋解説型を使うときには、全体的な方向性については既に相手と合意形成ができている、もしくは是非を議論する余地はないので確認だけすればよい、ということが前提になる。現時点では、どの方法を選ぶかが最重要課題であり、方法に関しては伝え手の考え方をしっかり明示して当該の方法の妥当性を説得したい、というケースで有効だ。
　例えば、「新しい営業戦略の全体的な方向性については、すでに相手と合意できているので確認にとどめ、ここでは具体的な戦略代替案として何がよいかに主眼を置いて説得したい」というような場合にあてはまる。

解説型＋解説型（図7－8、図7－9）

　4つ目の組み合わせは、「何をするべきか」という課題についても、また「そのためには具体的にどう進めるか」という課題についても、解説型の論理構成を行うものだ。
　先の不良品発生のケースをあてはめた図7－9を見てみよう。ここでは「不良品発生にどう対処するか」という課題について、まず当社の置かれた状況、次に不良品発生への対処の基本姿勢を述べた上で、どのような対処がよいと判断するか、という流れで結論を説明している。そして「具体的にどう進めるか」という課題についても、考え得る限りの対応策の代替案を提示した上で、伝え手としての代替案選択の基準を述べ、その基準で代替案を評価するとどのような方法が望ましいか、という流れで結論を説明する。
　このように、解説型を2つ組み合わせる論理構成は、伝え手の考え方を際だたせながら「なぜこの結論なのか」を説いていく。したがって、伝え手の考え方をじっくりと聞きたい、読みたいという相手にはふさわしい。
　しかし反面、2つの課題について「そもそも私（伝え手）は、このような状況の中で、こうした基本的考えを持っており、よってこのように判断する」という説明を2回繰り返すことは、相手にとっては、量・質ともにかなりの

図7-8 ❖ 2つの課題に答えるための論理パターンの組み合わせ④

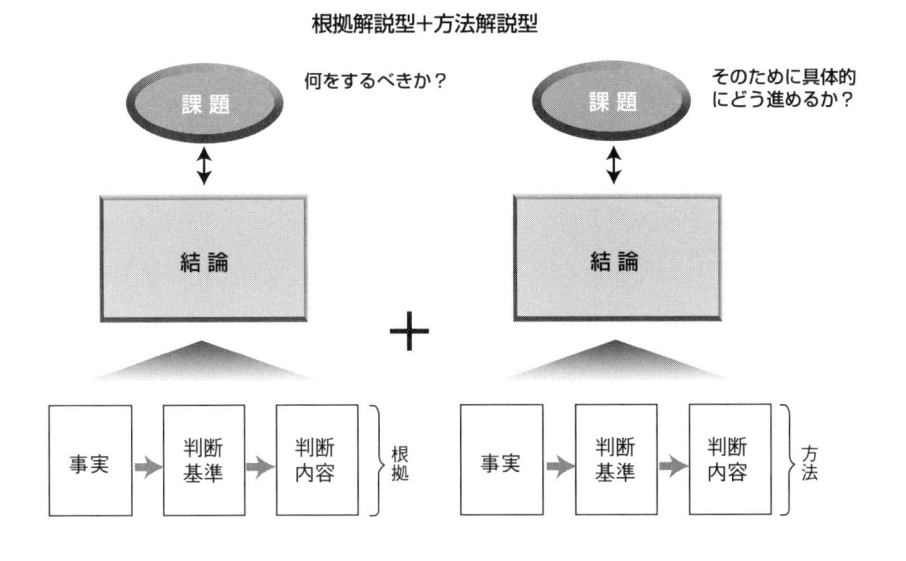

根拠解説型＋方法解説型

"重量級のコミュニケーション"になる。消化不良に陥り、結論を納得することができないので、中身自体に懐疑的な感覚を持ってしまうリスクも否めない。

　解説型＋解説型の組み合わせが必要だと考えたら、ぜひ、1回のコミュニケーションで2つの課題に答えるのが本当に得策なのかどうかを考えていただきたい。特に相手が異なる意見を持っていることが明らかな場合には、コミュニケーションを2回に分け、最初に第1の課題を取り上げ、相手の理解、納得を得た上で、2番目の課題に答えるコミュニケーションを行う、という工夫をすることが望ましいだろう。

図7-9 ❖ 組み合わせ④の例

根拠解説型

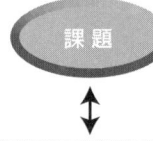

```
                              当社は、量販店チャネルの
                              管理不全による、中核商品
                    課 題      LX-20の不良品発生という
                              事態にいかに対処すべきか？
                      ↕
         ┌─────────────────────────────┐
   結論   │ 当社は、中核商品の不良品発生  │
         │ が全社にもたらす悪影響を最小  │
         │ 化するという視点に立ち、全チ  │
         │ ャネルで管理体制を見直し、世  │
         │ の中に安全性を訴求する。     │
         └─────────────────────────────┘
```

事　実	判断基準	判断内容
量販店での管理不全の影響は、LX-20の売上不振のみならず、他チャネル、他商品への消費者やチャネルの不安感に広がりつつある。	LX-20が当社の中核商品である点を考えると、当該チャネルや商品だけでなく、全社への悪影響の最小化という視点で対処すべきである。	当社は量販店のみならず、全チャネルの全商品について商品管理・販売体制を見直し、再発を防止する。同時に、当社製品の安全性を広く消費者に知らしめ、無用な憶測を防止する。

市場の観点	競合の観点	チャネルの観点	自社の観点
消費者にとっては欠陥がチャネル管理にあったのか、商品にあったのかは問題ではない。消費者は、当社商品への不信感を強め、当社商品の消費者離れが進行している。	競合は、LX-20の類似商品を続々投入しており、LX-20の不振に乗じて売り込み攻勢をかけている。	コンビニなどの量販店以外のチャネルが、LX-20の取扱に慎重になっている。またこの傾向は、当社の他商品についても強まっている。	売上げの6割を占める中核商品LX-20の量販店での不良品発生以降、他チャネルからも、また他商品についても、不安の声が殺到している。また実際に、商品、チャネルによらず売上げが下降している。

方法解説型

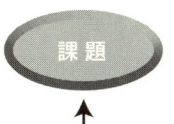

```
        ┌─────┐     当社は、全チャネルの管理体制の再
        │ 課題 │     確認と、世間への安全性の徹底をど
        └─────┘     のように進めるべきか？
           ↕
```

結論　各チャネルの管理体制の見直しと安全性の周知徹底は、消費者・市場から好意的に受け止められること、またチャネルとの関係の一層の強化という点から、当社とチャネルが両者共同体制で進めていく。

事　実	判断基準	判断内容
全チャネルの管理体制の見直し、および世間への当社製品の安全性の徹底という2つの活動を進めるには、大きくは以下の4つの方法があり得る。 ①2つの活動とも、当社が主体になって進める。 ②2つの活動とも、チャネルに一任して進めさせる。 ③2つの活動とも、当社とチャネルが共同体制をとって進める。 ④2つの活動を、当社とチャネルが分担して進める。	次の2つの視点から対応策を考える。 A 消費者・市場から、メーカーとしての責任を全うしていると好意的に受け止めてもらえる。 B チャネルと、今回の不祥事への対応にとどまらず、関係を一層強化できる。	①事故の直接原因はチャネルにあるので、チャネルが積極的に関与しないと、メーカーとしてのチャネル管理の点でAについて負の印象を与える。また、Bは期待できない。 ②Aについて、メーカーとしての責任放棄と受け止められる可能性が高い。Bの点もチャネルに負担感が大きく、しこりを残しそう。 ③Aについてはチャネルと当社が共同で対策を実行するので、納得感をもって受け止められるであろう。Bも、協働の過程で今後の取引上の改善点や新しい機会を見出すことが可能になる。 ④Aについては2つの活動全体の中に一貫性や整合性が見えにくい可能性がある。Bについても効果は限定的であろう。 以上から、③が望ましい。

第7章　論理パターンを使いこなす

2 論理FAQ

並列型、解説型の論理パターンは大変シンプルな道具立てだが、習熟しようと思えば、やはり日々の仕事の中で何度も使って覚える、という地道な練習が欠かせない。その練習の中で読者はいろいろな疑問点を持つだろう。そこで、筆者がコミュニケーション・トレーニングの参加者からよくいただく質問（FAQ）をまとめておこう。

> **Q1** 論理パターンというのは、結局自分にとって都合のよい情報だけを見せて、相手を説得しようというものではないですか？

Answer　コミュニケーションの論理とは、結論を相手に納得させるためのものなので、論理全体は結論にとって都合のよいもの、でなければ意味がない。

例えば、施策Aの導入は是か非かといった課題に対する結論を説明する場合を考えてみよう。世の中で行われるコミュニケーションの多くは、図7－10のような論理だ。自分が導入した方がいいと思う施策「インターネットでの結婚プラン・シミュレーション」のよい点ばかりを列挙する。確かにこれでは、インターネットでの結婚プラン・シミュレーションの導入には「本当にメリットしかないのか？」「実はデメリットやリスクもあるのではないか？」と考える人は、伝え手にとって都合のよいことばかり並べている、と思うだろう。

それならばといって、図7－11のような論理を組んだとしたらどうだろう。確かに図7－10よりは説得力はある。しかし、仮にインターネットでの結婚プラン・シミュレーション導入に反対の立場をとっている、手強い相手ならどうだろう。インターネットでの結婚プラン・シミュレーションを「そもそも導入しないとどうなるのか？　導入しない方が結果的によかったというこ

ともあり得るのではないか？」と考えるだろう。

そこで、こうした相手を説得するには、図7-12のように、導入しないときにまで視野を広げ、結論に対する直接の根拠を「導入する場合のメリットとデメリット（リスク）」と「導入しない場合のメリットとデメリット（リスク）」の2つのMECEな切り口で用意する必要がある。もちろん、あなたの結論が論理的に導かれたものである以上、インターネットでの結婚プラン・シミュレーションの「導入のメリット＞導入のデメリット」、かつ「導入しないデメリット＞導入しないメリット」とSo What? されていなければならない。そうでなければ、あなたの結論自体、論理的に証明されないことになる。

ただし、これは"コミュニケーションのための論理"ということが重要な

図7-10 ❖ 穴のある論理の例1

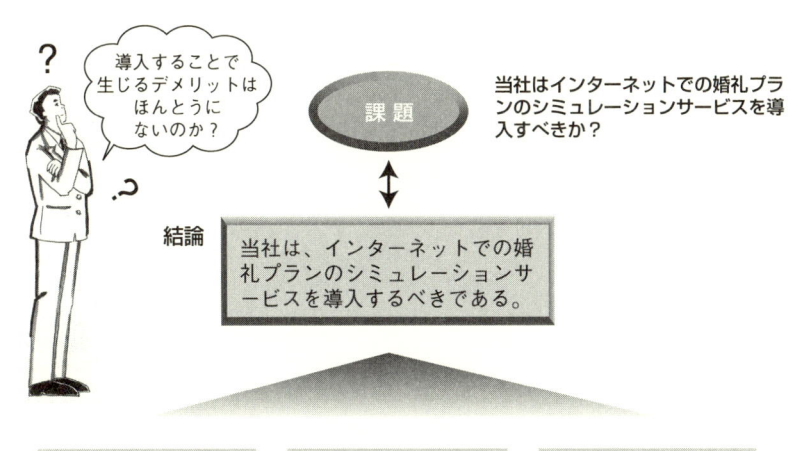

（導入することで生じるデメリットはほんとうにないのか？）

課題：当社はインターネットでの婚礼プランのシミュレーションサービスを導入すべきか？

結論：当社は、インターネットでの婚礼プランのシミュレーションサービスを導入するべきである。

導入のメリット1
多忙を極める高収入のキャリアカップルを新規開拓できる。

導入のメリット2
気軽にシミュレーションすることで婚約前のカップルを囲い込める。

導入のメリット3
ITに強い若者層に対して当社のブランドイメージを高めることができる。

第7章 論理パターンを使いこなす

点だ。つまり、あなたのコミュニケーションの相手がインターネットでの結婚プラン・シミュレーションのメリットだけでも十分に納得するのなら図7－10でもよいし、せいぜい導入のデメリットまでしか気づかないというのであれば図7－11でよい。なぜなら、繰り返しになるが、ビジネスのコミュニケーションでは相手が結論を納得してくれ、こちらの期待通りの反応をとってくれればよく、むやみに多くの情報を与えることは、相手の理解や納得にはプラスの効果を持たないからだ。もちろん、相手がいまは気づいていなくても、程なく論理の穴に気づくことが予想されるときには、図7－12の広がりが必要になる。

図7-11 ❖ 穴のある論理の例2

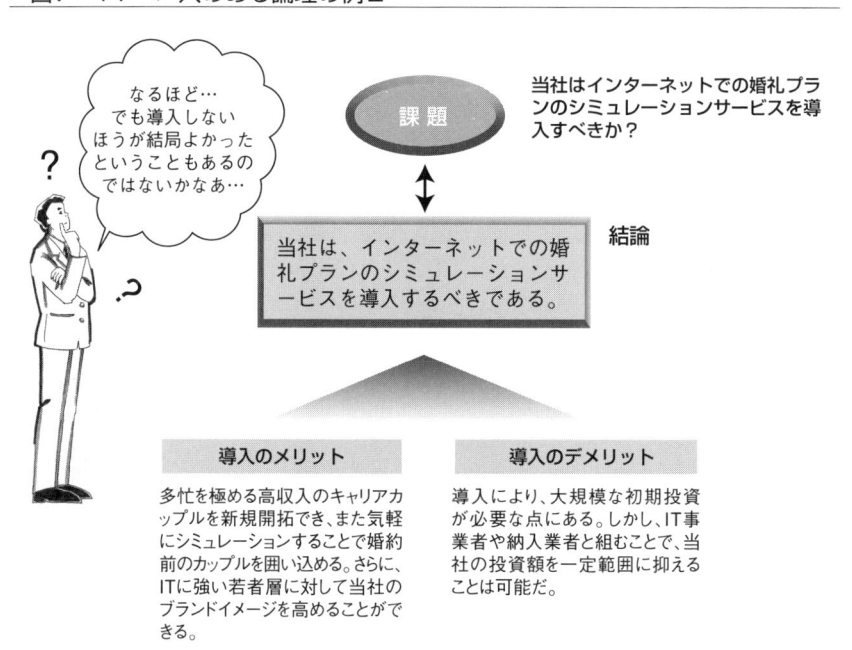

課題：当社はインターネットでの婚礼プランのシミュレーションサービスを導入すべきか？

結論：当社は、インターネットでの婚礼プランのシミュレーションサービスを導入するべきである。

導入のメリット：多忙を極める高収入のキャリアカップルを新規開拓でき、また気軽にシミュレーションすることで婚約前のカップルを囲い込める。さらに、ITに強い若者層に対して当社のブランドイメージを高めることができる。

導入のデメリット：導入により、大規模な初期投資が必要な点にある。しかし、IT事業者や納入業者と組むことで、当社の投資額を一定範囲に抑えることは可能だ。

（吹き出し）なるほど…でも導入しないほうが結局よかったということもあるのではないかなあ…

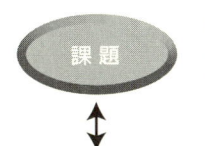

図7-12 ❖ 根拠に十分な広がりをもたせた論理の例

課題: 当社はインターネットでの婚礼プランのシミュレーションサービスを導入すべきか？

結論: 当社は、インターネットでの婚礼プランのシミュレーションサービスを導入するべきである。

導入する場合のメリット・デメリット

インターネットでの婚礼プランのシミュレーションサービスに取り組む場合、大きな初期投資が必要となるものの、新たな顧客層の取り込み、潜在顧客の早期囲い込み、さらには当社のブランドイメージの向上が見込まれる。

メリット

多忙を極める高収入のキャリアカップルを新規開拓でき、また気軽にシミュレーションすることで婚約前のカップルを囲い込める。さらに、ITに強い若者層に対して当社のブランドイメージを高めることができる。

デメリット

大規模な初期投資が必要となる。しかし、IT事業者や納入業者と組むことで、当社の投資額を一定範囲に抑えることは可能だ。

導入しない場合のメリット・デメリット

インターネットでの婚礼プランのシミュレーションサービスに取り組まない場合、当面の投資負担は回避される。しかし、年々減っていく婚礼の潜在顧客とダイレクトにつながるオンライン環境を持たないリスクは計りしれない。

メリット

導入しないと、当面の投資が抑制され、財務的に楽だ。

デメリット

このサービスに注力し、顧客情報を蓄積してデータベースマーケティングで効果を上げる競合に、大きく引き離されるおそれがある。

> Q2 コミュニケーションをするときに、結論を真っ先に伝えるというのはいかにも欧米的で、日本のビジネスには馴染まない、と思うことも多いのですが……。

Answer　「論理の構造」と「メッセージの伝達順序」は違うもの。伝えるときには、もちろん、根拠から伝えるケースもある。

　「当社の体質から言って、結論先出しのコミュニケーションは受け入れられにくいなぁ」「例えば、相手が自分とは異なる意見を持っていると想定される場合、結論先出しにするとかえって反発を招いてしまい、コミュニケーションの目的達成ということを考えると逆効果なのではないか？」と言う声をよく聞く。確かにその通りだ。

　論理構造はあくまでも「構造」であり、課題に対する答えの中で最も重要な結論が、その他の要素とどういう関係になっているのかを明示するものだ。そして、この構造と、実際のコミュニケーションでの「伝達順序」（話す順序や書く順序）とは異なる。

　もちろん、ビジネスでは多くの場合、結論→根拠という順序を基本とするべきだ。なぜならば、最も重要な結論を最後に伝えるとき、そこまで相手の関心や興味が持続するのは、相手があなたのコミュニケーションに高い関心を持っている場合だけ、と考えた方がよいからだ。

　しかし、結論先出しの伝え方しかあり得ないというわけではない。根拠→結論という順序も当然あり得る。相手が、伝え手とは異なる結論を支持しており、いきなり結論から伝えると拒絶反応が大きい、あるいは、根拠を1つ1つ解説して合意を取りつけ、相手が自ら結論に至るよう誘導して相手のコミットメントを得るような場合が該当する。

　また、メッセージの「伝達順序」という点では、結論が先か、根拠が先かだけでなく、ぜひ、徹底したいことがある。それは、相手にメッセージを伝えるとき、まず最初に課題（テーマ）と相手に期待する反応を書くなり、話すなりする、ということだ。

復習になるが、コミュニケーションにおいて伝えるべき全要素は次の3つだ（詳細は第1章を参照）。

・課題（テーマ）
・相手に期待する反応
・課題（テーマ）に対する答え

プレゼンテーションのリハーサルなどをすると、いきなり課題（テーマ）に対する答え（本題）から話し始め、聞き手としては「何のために何を聞かされようとしているのか」わからないままに、本題に突入するケースが意外なほど多い。

プレゼンテーションでは必ず、本題の前に導入部を作るべきで、リハーサルなどをすると、多くの場合、「本日は貴重なお時間をいただきありがとうございます。本日は弊社の製品Xについてご説明させていただきます」といった、いわゆる"ご挨拶"に終始している。これでは、製品Xの新機種についての情報提供がテーマなのか、あるいは製品Xのアフターサービスに関する情報提供なのか、相手にはプレゼンテーションの中身を聞くまで見当もつかない。

まずは、最初に課題（テーマ）と相手に期待する反応を伝え、コミュニケーションの目的をはっきり示して、答え（本題）に入ろう。そして、答えの部分には、図7-13のように、結論先出しの説明と、根拠から始める説明の両方のやり方があり得る。

課題（テーマ）と相手に期待する反応を伝え、コミュニケーションの目的を明示することは、根拠→結論の順で答えを伝えていくとき、ことに大事だ。目的がわからないまま、長々と根拠を聞かされているのでは、どんなに気の長い相手であっても、肝心の結論に行き着くまでに「So What？（結局どういうことなのか？）」ということになり、論理構造の要素すべてをきちんと伝えられない可能性が高い。これは、書いたものでも全く同じだ。

図7-13 ❖ 論理構造と伝達順序

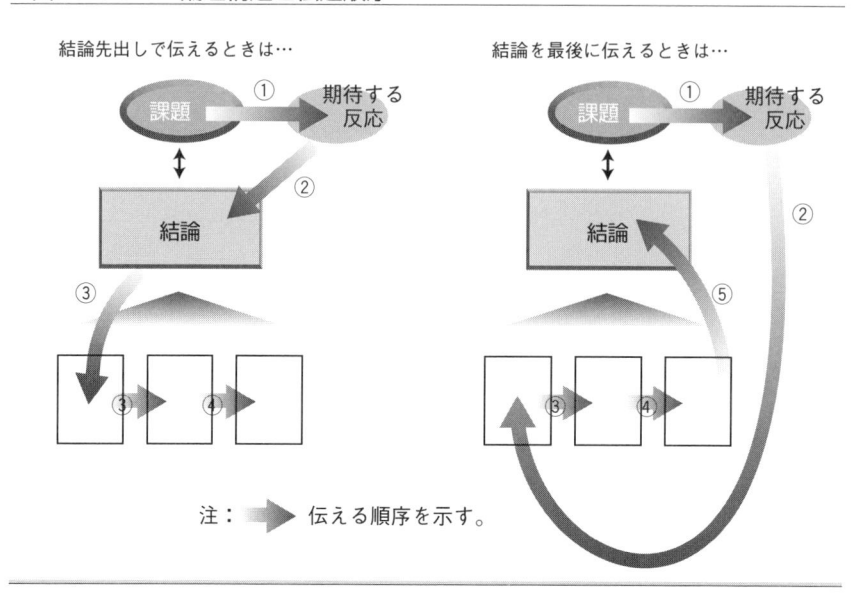

結論先出しで伝えるときは…　　　　　　結論を最後に伝えるときは…

注：➡ 伝える順序を示す。

Q3 検討や分析を時系列で示した方が、この結論に至った根拠が、相手にわかりやすいと思い、いつもそうしています。でも、上司からはいつも「結局何が言いたいんだ？」と言われてしまいます。

Answer　あなたはあなた自身の思考や検討のプロセスを、相手にもなぞらせていないだろうか？　相手を説得するための論理と、思考や検討のプロセスとは異なるものだ。

　筆者らは長年、エディティング・サービスに携わってきた。エディティングとは、伝え手のメッセージがその意図する通りに相手に伝わるよう、論理的で説得力のある構成や、相手に論理を明示でき、しかもわかりやすい表現を考えてアドバイスしたり、代替案を提示することだ。エディティングの対象は、書いて伝えるコミュニケーション、話して伝えるコミュニケーションの両方がある。例えば、前者であれば、顧客企業への報告書や、提案書、雑

誌向けの記事や書籍のための原稿から、ビジネスレター、ときにはクライアントの社内文書までさまざまなものがある。

そうしたエディティングの素材の中で、わかりにくい文書の典型的なタイプが、自分の思考のプロセスや作業の経過をそのまま書き連ねたものだ。このタイプは、文章にしろ、図表にしろ、原稿量が多いというレベルを超えて膨大である。

例えば、「サービスXのプライシングについて、競合との比較、市場での評価を調べてみると……」「当事業部にとって問題なのは、プライシングではなく、むしろ……ではないかということが浮かび上がった」「当社としてはこの問題を考えるにあたって……」「また海外の成功事例では……」「一方でプライシングについては、次のような改善を……」と延々と説明が続く。

このように自分の思考や検討の紆余曲折のプロセスを、コミュニケーションの相手にも辿らせるようでは、読み手は情報の洪水の中で消化不良に陥ってしまう。これでは、あまりにもコミュニケーション・マインドがない。コミュニケーションの目的は、結論を相手に納得させ、相手に期待通りの反応をとってもらうことにある。問題を解くときには、個々のデータの分析→結論という検討作業の中で導いた材料を、結論→根拠（具体的には分析結果の提示）という論理構成、すなわち第6章で紹介した並列型と解説型の論理パターンにあてはめ、受け手にとってわかりやすいように整理する。検討過程では重要だと思った情報も、結論が導かれた後では重要ではなかった、ということはままある。相手を説得する上で本当に必要なデータや情報に絞り込むことが必要だ。

「答えを出すために検討する」ことと、「答えを相手に伝えること（コミュニケーション）」とは、全く異なる。わかりにくい文書（あるいは口頭での説明）というのは、答えを見つけたところで時間切れ、その時点で頭の中にある情報を浮かんでくる順に書いた（話した）、というものだ。これでコミュニケーションの成果を期待するのは虫がよすぎる。時間がかかる作業だが、目的を達成するために、ぜひ、伝えるための論理を組んでみよう。

> Q4　並列型を作るとき、どのような発想でMECEの切り口を思いつけばいいのでしょう？

Answer　必ず課題にヒントがあるので、まず、「何について論理を組むのか」を確認して、どの切り口が使えそうか、自分の頭の中の引き出しを開けてみよう。

　コミュニケーション・トレーニングで並列型の論理の練習をしているときに、参加者の方からよく聞く声は、「どうしてこのMECEの切り口を思いつくのか？　自分はさっぱりわからなかったのに」というものだ。この質問への答えは、まず、基本的なMECEの切り口は覚えるということ。詳しくは第3章を復習してもらいたいが、例えば、「当課の顧客の全体像」を当課に配属された新人にわかりやすく説明するのであれば、次のような切り口が考えられる。

・案1　　当課の顧客全体を、法人顧客・個人顧客に分ける。
・案2　　当課の顧客全体を、取引期間の長さで分ける。
・案3　　当課の顧客全体を、取引規模（金額）で分ける。

　そして、論理構成するときには常に課題をよく確認しよう。何が答えなのかによって使うべきMECEの切り口の見当がつくからだ。

> Q5　解説型の事実には、本当に事実しか入れてはいけないのでしょうか？

Answer　解説型の事実は相対的なもので、絶対的な事実だけではない。解説型では、第6章で述べたように、事実→判断基準→判断内容という流れで結論を支える。この場合の事実とは、第一義的には「客観的な事実、現象」だ。しかし、広義に捉えれば、「相手と合意されたもの」であれば、必ずし

も文字通りの事実である必要はない。

例えば、「当事業部としての課題」「当部門としての考え方」など、ある種の主観的な要素でも、これがもはや相手と共有され合意形成されたものであるなら、解説型の「事実」の要素にしても構わない。

> **Q6** 解説型は、起承転結の結を先に出しただけ、というようにも見えます。解説型と起承転結の違いは何ですか？

Answer 起承転結では、起・承・転の中身が、規定されていない。客観的なものであっても、主観的なものであってもよいわけだ。また、転が、結や起・承とどのような関係を持つのかも極めて曖昧だ。こうした点が解説型と異なっている。

そもそも日本で、ものをまとめるときの構成法として多くの人が共有しているものといえば、起承転結くらいだろう。近頃の学校教育ではどうかわからないが、筆者の受けた学校教育では、小論文の授業等というとこの起承転結に従って書くように指導されたものだ。これ以外に何か構成法を習ったかというと、残念ながら記憶にはない。

多くのビジネスパーソンにとって、起承転結は馴染みが深いと思う。しかし、これがビジネスにおいて論理的なコミュニケーション・ツールとして十分かというと、それは極めてあやしい。

起承転結が論理として最も脆弱なのは、「転」の部分だ。起、承という流れがいきなり「転」で他に飛んでしまう。起・承に対して、転がどのような類の要素であるべきかといった規定はない。エッセイ等の創作文であれば、着想の豊かさが感じられて内容に奥行きを与えるのだろうが、論理性を追求する場合には、これでは非常に唐突だ。

また、解説型が論旨の起点を「事実」と規定しているのに対して、起承転結の「起」は、その中身の客観性・主観性は全く問うていない。解説型は、最初に事実を提示し、課題に対する答えを導くための判断基準を設定して、

この基準で事実を判断した内容を説明する、という一貫した流れで結論を支える。このように、解説型と起承転結には大きな相違点がある。

> **Q7** 論理的にものを書いたり、話したりするために、具体的にどんな練習をしたらいいのでしょうか？

Answer このような質問をたくさんの方々からいただく。筆者はレポートやプレゼンテーションの内容の論理構成上のアドバイスを提供したり、論理構成に関するコーチングをしている。その経験から、「論理的にメッセージを構成する力は、訓練の量と比例してついていく」と確信している。

つまり、ロジカル・コミュニケーションの力量は、訓練の賜であり、本書で紹介したアプローチは訓練すれば必ず使いこなせ、アウトプットにも再現性があるという点で、「技術」だと考えている。

技術は、慣れなければ使いこなせない。はじめは違和感があるだろうが論理パターンという道具立てを使い続けて、結論を頂点に、複数の要素を縦（So What?／Why So?）・横（MECE）の法則で構造化できるように癖をつけよう。

そのためには、レポートや、プレゼンテーションの内容を構想するときに、単なる箇条書きをするのではなく、本書で紹介した論理パターンを下書きフォーマットとして使い、縦横の関係を視覚化して確認することをおすすめする。各要素の縦横の関係を視覚化することによって、本当に縦に So What?／Why So? か、横に MECE か、あるいは事実→判断基準→判断内容という流れになっているのか、を確認しやすくなる。

こうして、論理パターンの枠の中に要素を整理することができれば、ロジカル・コミュニケーションの前半のステップ、すなわち論理構成ができた、ということになる。論理構成ができれば、あとはそれをレポートに仕立てるなり、あるいは口頭で説明するなり、具体的に表現していけばよい。表現の部分にはまた、「いかに論理的に書くか」「いかに論理的に話すか」という技

術があるのだが、まずは論理構成そのものがきちんとできていなければ、いくら表現上の工夫をしてみても、論理的にわかりやすいコミュニケーションにはつながらない。

　どうしたらわかりやすいレポートを書けるか、どうしたらわかりやすいプレゼンテーションができるかと悩んでいるビジネスパーソンの方は多いだろう。そのように思っているあなたには、ぜひ論理パターンを使って下書きしてみるという訓練方法をお試しいただきたい。

集中トレーニング4

1 情報を論理パターンでわかりやすく構成しよう

例題

　あなたは、アルファ食品（株）が1ヶ月前に始めた、出前サービス事業部のマーケティング課長だ。サービスに対する顧客の声を聞き、今後の事業運営に活かそうと、この1ヶ月間の当サービスの頻繁な利用者を対象に電話で聞き取り調査を行ったところ、対象者の1人、A氏が次のように話してくれた。お褒めの言葉はよいとして、A氏の苦言の内容を部内で共有するために、論理パターンを使ってわかりやすく整理してみよう。

A氏の話：

　お宅の出前メニューは、どれもとても味がよく気が利いていて、私は気に入っています。1週間に3度はとっていました。値段も良心的ですしね。まだ、1ヶ月ですがあえて言わせてもらえば、配達の時間についてです。外部のお客様と昼食をはさんだ打ち合わせ用に、12時に配達を頼んだのに、30分もずれてしまった。これではビジネスランチには使えませんよ。その上、ふたを開けてみたら、ごはんが箱の半分に偏っていて、残りの半分はすかすか。格好悪いといったらありません。運び方が悪かったんでしょうね。
　次に気になるのは、電話で注文するとき、一度で注文が伝わらないことです。1つじゃなく2つですとか、大じゃなく小ですとか、何度も念を押さないとならない。ちゃんとメモをとっているの？　と疑問に思うときがあります。それから、日によって量が全然違うんですよ。妙に少ない日があったり。そういえば、私の部下が「私のチキンカレーには鶏肉が2切れしか入っていないのに、どうして課長のには4切れも入っているんだ」なんて言っていましたね。

> 味はとてもよいのですから、出前のオペレーションがよくなれば文句ありません。これからも期待しています。

◇── 考え方と解答例

Step 1 課題（テーマ）を確認し、活用する論理パターンを決める

　課題は「A氏は当社の出前サービス事業のどのような点に不満を抱えているか？」ということだ。したがって、A氏の不満の要点を整理すればよく、伝え手としての判断を求められているわけではないので、用いる論理パターンは並列型になる。

Step 2 A氏の話をグルーピングして、MECEな根拠の切り口を見つける

　A氏の指摘全体をよく読んで、話した順番にとらわれずに考えてみると、配達時間のずれ、電話での注文の受け方、中身の量などの不満点は受注・調理・配達という出前のオペレーションの流れでMECEに整理ができそうだ。いま、整理するのは「A氏の不満」であるから、「味がよい」「値段も良心的」などの点は除いて考える。

Step 3 出前サービスのオペレーションの各段階ごとに話の内容をSo What? する

　受注時・調理時・配達時の各段階ごとに、A氏の不満を観察のSo What? していく。不要な修飾語は省き、簡潔に要点を抽出する。So What? したものをWhy So? の視点で見直し、確かにA氏の話から言えることとしてまとめているかどうかを確認する。

Step 4　結論を So What? し、Why So? で確認する

　受注時・調理時・配達時の各段階ごとに So What? した3点の不満を、課題の答えになるように再度 So What? して、並列型論理パターンの結論とする。A氏はさまざまな点を指摘しているが、結論を So What? するときにはその結論の中に、受注時・調理時・配達時という、根拠の切り口が埋め込まれていると説明を受ける相手の理解が速くなる。結論と3つの根拠の間にWhy So? の関係が成り立つことを確認する。

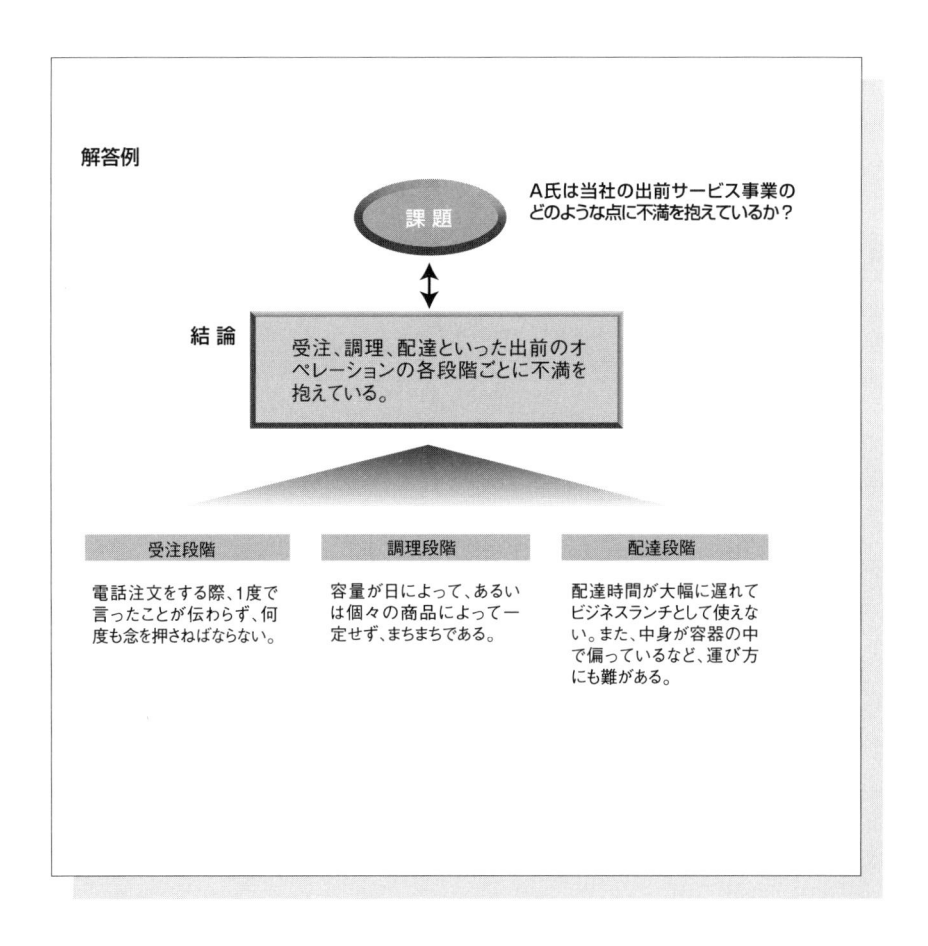

解答例

課題：A氏は当社の出前サービス事業のどのような点に不満を抱えているか？

結論：受注、調理、配達といった出前のオペレーションの各段階ごとに不満を抱えている。

受注段階	調理段階	配達段階
電話注文をする際、1度で言ったことが伝わらず、何度も念を押さねばならない。	容量が日によって、あるいは個々の商品によって一定せず、まちまちである。	配達時間が大幅に遅れてビジネスランチとして使えない。また、中身が容器の中で偏っているなど、運び方にも難がある。

問題

　アルファ銀行のコールセンターでは、「あなたのファイナンシャルプランナー」を謳い文句に、顧客からの問い合わせ対応だけでなく、商品の販売にも取り組んでいる。ところが最近、インバウンドコール（顧客の側から問い合わせのためにかけてくる電話）の顧客から不満の声が続出している。その対応を考えるために、まず、コールセンターのヘビーユーザーに直接話を聞いて、どのような点に具体的に不満を感じているのか、部門内で共有することになった。その際、顧客から見たインバウンドコールの流れに沿って不満点を整理することになっている。

　以下は、コールセンターの常連であるビジネスマンX氏が指摘した不満点だ。X氏の論点はどのように整理できるだろうか。

X氏の不満：

　私はいろいろな目的でコールセンターに電話をします。お宅のコールセンターにはいくつか不満があります。聞きたいことがあって電話をしても、1回で電話がつながることはまずない。つながらなければ話にならないわけで、そもそも回線や対応キャパシティが少なすぎるんじゃないですか。その上、つながってもすぐにオペレーターが対応するわけではなく、コンピューターの指示でいろいろ操作しなくちゃならない。この指示がわかりにくく、最低5回は何か操作しないとオペレーターにつながらない。単純な残高照会や支店の位置確認などをコンピューターで効率的に処理したい気持ちもわかるけど、全然ユーザーの立場を考えていない、銀行の効率を優先したやり方だなあという気がします。

　そうそう、最近、コールセンターでは電話をかけてきたお客の問い合わせに対応するだけでなく、即座にその顧客情報にアクセスして、お客にあった商品やサービスを提案することがウリと言われていますよね。けれど、お宅のオペレーターからこちらが尋ねたこと以上の提案をされたことはありません。過去2度ほど「私の履歴はデー

タベースに入っているのだから何か提案してよ」と言ってみたことがあります。1度目は、「申しわけありません。まだデータベースが整備されておりませんで、今の段階ではご提案はできません」と言われました。顧客データベースの整備はコールセンターの"いろは"ですよね。あまりにお粗末なんで二の句がつげませんでした。2度目のときは、家の購入資金について相談しようと思って電話をしたときです。「ちなみにいま私にお勧めの商品は？」と尋ねたら、「現在、私どもでは投資信託のキャンペーンをやっております」と言われました。まじめに「あなたのFP」になろうと考えたら、こういう発言はないよな、と思いますけど。

　まあ、提案なんて高度なことですから百歩譲るとして、その手前にあるのが、尋ねたことにきちんと答える、ということですよね。例えば、ここから1番近い支店を尋ねたとします。「○○支店です」と言うだけで住所も電話番号も言わない。「○○支店と××支店とどちらが近い？」と聞くと、「同じぐらいだと思います」という答えです。交通手段を尋ねるとか、支店に出向く用向きを尋ねるとかは全くないわけです。当然ながら、お客は支店の位置を聞くことが目的ではなく、場所を知って何かをしようとしているわけです。顧客の本来の目的を知り、その目的が果たせる答えを返そうという意思が感じられません。それから、もう1つ腹立たしいのは、商品の問い合わせをすると、個別商品については長々説明するのに、「αとβだったらどっちがいいんでしょうね？」と聞くと、「それはお客様の目的とニーズによります」という答えが返ってくることです。確かにストレートには答えにくいことはわかります。でも、わからないから、迷っているから参考意見を聞いているのに、そんな正論を言われても何の役にも立ちません。FPを標榜するなら、そして銀行もサービス業であるならば、顧客の悩みにダイレクトには答えられなくても、例えば、目的ごとに商品の特徴を説明するくらいの、サービス業として当然の工夫というものがあってもよいのではないでしょうかね。

　ちょっと辛口ですが、コールセンターがもっとよくなってほしいと思っているので、あえて日頃感じている不満を率直にお話ししました。

> **ヒント1** X氏の不満を全体像を明らかにして、不満のポイントを共有するのが目的なので、用いる論理パターンは下の図のような並列型になる。

> **ヒント2** X氏の不満点をグルーピングして、結論を直接支えるMECEな根拠（図のレベル2）の切り口を見つける。あなた自身が問い合わせの電話をかけてから、受話器を置くまでの流れを想像しながら、X氏のコメントを読んでみよう。電話をかけてから切るまでの流れが、仮にA、Bと

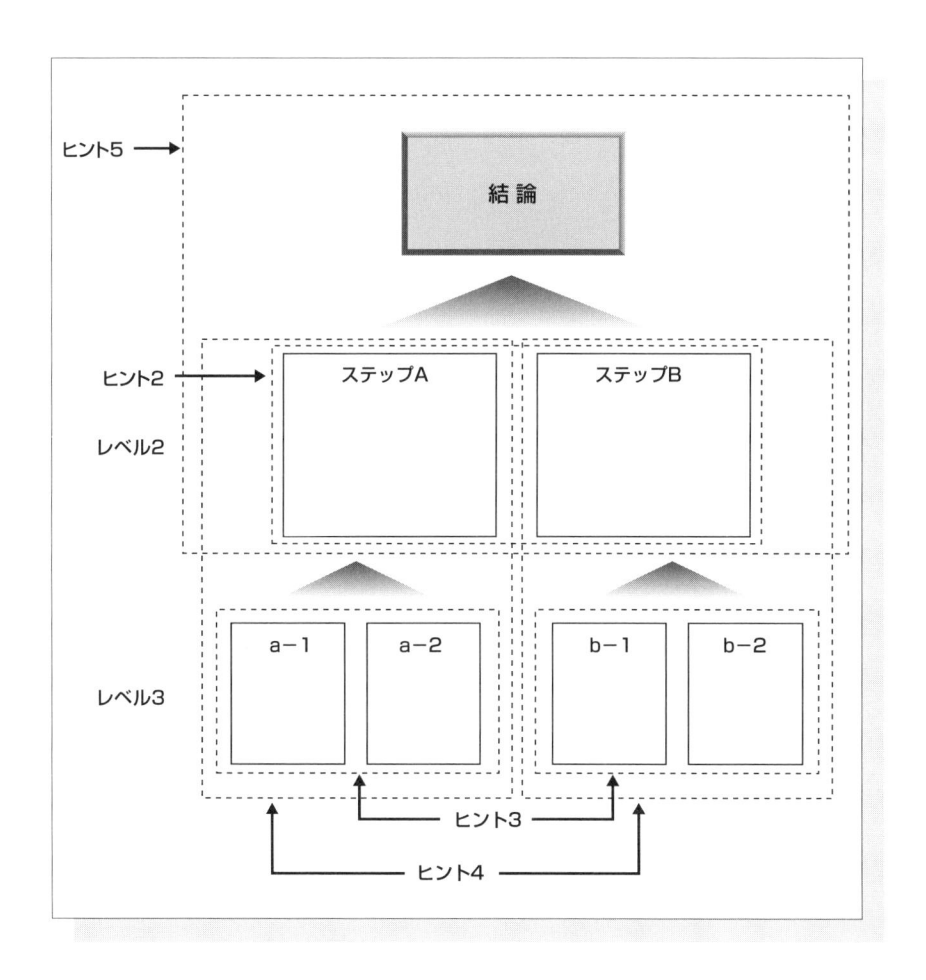

いう2つのステップに分かれるとしたら、その2ステップがレベル2の根拠の切り口になる。

> **ヒント3** 仮に、A、Bの2ステップに分けたとしたら、ステップA、ステップBの各々について、不満点をさらにMECEを意識してグルーピングして、図のレベル3の根拠（a-1とa-2、b-1とb-2）の切り口を見つけ、a-1、a-2、b-1、b-2を観察のSo What? をしてまとめる。

> **ヒント4** ステップA全体、またステップB全体では結局何が不満点なのかを、レベル3の根拠（a-1とa-2、b-1とb-2）を観察のSo What? をしてまとめる。これがレベル2の根拠になる。逆に、レベル2をWhy So? の視点から見直したとき、確かにSo What? /Why So? の関係が成り立つことを確認する。

> **ヒント5** ステップA全体、またステップB全体の不満（レベル2の根拠）をSo What? して結論をまとめる。また、結論をWhy So? の視点から見直すと、レベル2の根拠がその答えになっていることを確認する。

2
図表を使って論理的に説明しよう

ビジネスの中で、図表化したデータを用いながら考えを説明する、という機会は多い。図表を使いながら論理的に説明する勘所とはどのようなものなのだろうか？

例題

あなたは、中学校の同窓会に出席し、かつての恩師に久しぶりに会った。話が弾み一段落したことろで、現在も中学校で教鞭をとる恩師が、『観光地に関する旅行者の意識』という1枚の図を取り出し、「実はいま、修学旅行先を選定しているのだが、議論百出でなかなか決めるのが難しい。予算とか時間的なものとか実際には制約も多いが、そのあたりは度外視していいので、君だったら、どこへ行くのがよいと思うか、意見を聞かせてくれないか？」と聞いてきた。

あなたはどんな意見を言うだろう。恩師が見せてくれた1枚の図表を材料に、「なるほど」と恩師が思うような論理的なアドバイスを考えてみよう。

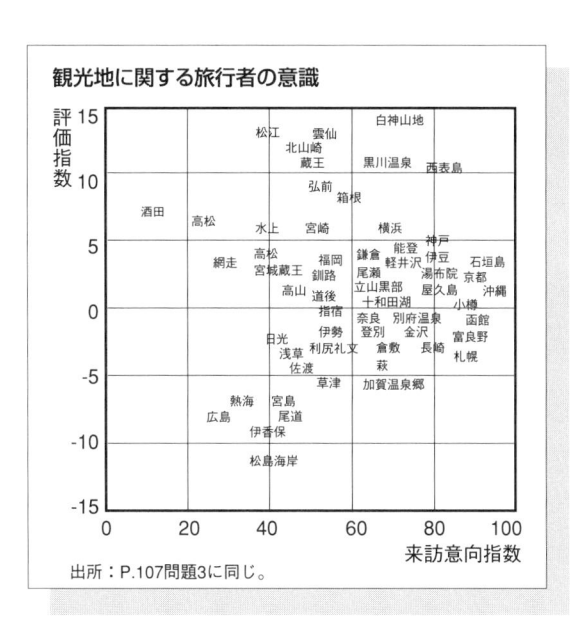

観光地に関する旅行者の意識

（縦軸：評価指数　−15〜15、横軸：来訪意向指数　0〜100）

主なプロット位置：
- 評価指数10以上・来訪意向40〜80：白神山地、松江、雲仙、北山崎、蔵王、黒川温泉、西表島
- 評価指数5〜10：酒田、高松、水上、宮崎、弘前、箱根、横浜、神戸
- 評価指数0〜5：網走、高松、宮城蔵王、福岡、釧路、高山、道後、鎌倉、尾瀬、軽井沢、能登、立山黒部、十和田湖、伊豆、湯布院、屋久島、石垣島、京都、沖縄、小樽
- 評価指数−5〜0：指宿、伊勢、日光、浅草、佐渡、利尻礼文、奈良、別府温泉、登別、金沢、倉敷、萩、長崎、函館、富良野、札幌
- 評価指数−5以下：草津、加賀温泉郷、熱海、宮島、広島、尾道、伊香保、松島海岸

出所：P.107問題3に同じ。

◇── **考え方と解答例**

Step 1　課題を確認し、活用する論理パターンを決める
　課題は、「中学校の修学旅行としてどこに行くべきか？」だ。恩師は、具体的な行き先候補はもちろん、どうしてそこがいいと思うのか、というあなたの考え方を知りたいであろうから、用いる論理パターンは解説型になる。

Step 2　解説型の「事実」を考える
　『観光地に関する旅行者の意識』というデータそのものが、解説型の「事実」である。このグラフ上にある情報に加え、例えば、「京都は1000年の歴史がある古都で、歴史的な建造物が多い」とか、「松島は日本三景の1つ」といった、何かのデータを示すまでもなく誰もが「それは事実」と受け止められる範囲の情報を「事実」とする。

Step 3　解説型の「判断基準」を考える
　あなたが考える修学旅行先の選定基準を提示する。その基準が、修学旅行先の選定基準として、恩師にとっても妥当に思えるものであることが重要だ。複数の基準を設定するときには、それらが極力MECEな関係にあることも大事なポイントになる。ここでは、①旅行に行く前、②旅行後、③旅行中という時間を軸に考えて以下の3つの基準を設定している。

　基準①　行く前から期待感をもてるように、来訪指数は60以上であること。
　基準②　行った後に行ってみてよかったと思えるように、評価指数は10以上であること。
　基準③　修学旅行なので、旅行中に教室では学べないものに直に触れ学習できること。

Step 4　解説型の「判断内容」を考える

　Step 3で設定した①〜③の基準で上記の事実を評価すると、その内容はどうなるかを検討する。ここでは、①と②の基準で順にふるって、残った3地

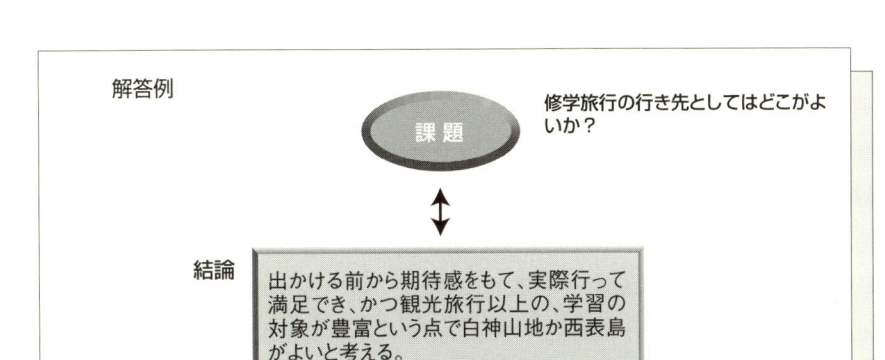

解答例

課題　　修学旅行の行き先としてはどこがよいか？

結論　　出かける前から期待感をもて、実際行って満足でき、かつ観光旅行以上の、学習の対象が豊富という点で白神山地か西表島がよいと考える。

事　実

日本の主な観光地を、「どのくらい行きたいか？」という点と、「実際に行ってみて、行く前の期待と比べてどのくらいよかったか・悪かったか」という点から評価すると、この図のような評価を受けている。

判断基準

修学旅行の行き先としては、次の3つの点を備えることが重要と考える。

① せっかく行くのだから、行く前からみんなが期待感をもてるよう、来訪指数は60以上であること。

② また、実際に行ってよかった、と思えるように、評価指数が10以上であること。

③ 単なる観光や娯楽にだけではなく、教室の中では学び得ない、日本固有の文化や自然などに直に触れた学習ができること。

判断内容

・全体の中から、①に照らして、座標面の来訪意向指数60未満の土地は除外される。

・さらに、②に照らして、評価指数10未満の土地が除外される。

・以上により、残るのは、白神山地、黒川温泉、西表島の3つ。これらを③の条件に照らすと、白神山地は、世界遺産に指定されたブナの原生林があり、また西表島は本州とは全く異なる自然風土に恵まれ、これらは格好の学習材料。これに対して、黒川温泉は決め手にかける。

よって、白神山地か西表島がよい、と考える。

第7章　論理パターンを使いこなす

点を、③の基準で評価している。その際、白神山地のブナの原生林や西表島の固有の風土などは、特に改めて何かのデータを示すまでもなく、「それは事実」と相手も受け止められる範囲の情報として、評価の俎上に載せている。

　大事なことは、あなたが最初に提示した事実（この場合はグラフ上にプロットされた観光地）が、3つの基準できちんとふるわれた結果が提示されること。最終的に選定するオプションについてだけ評価の内容を用意するのでは、なぜ他がダメなのかがわからないので説得力がない。

Step 5　最終的な結論を確認する

「判断内容」の結果、最終的にあなたが選定した行き先を明記する。また、その結論が「事実→判断基準→判断内容」という流れで根拠を見たときに一貫性をもって支えられているかどうかをチェックする。

問題

　いま、新婚旅行の行き先に悩むカップルがいる。例題の『観光地に関する旅行者の意識』の図をもとに、行き先をアドバイスするとしたら、あなたはどのようなアドバイスをするだろうか。アドバイスの内容を論理パターンで整理してみよう。

> ヒント　例題の解き方のStep 1〜5までの手順に沿って、解説型の論理パターンを完成させよう。その際、新婚旅行の行き先選定の基準として説得力のあるものを設定することがポイントになる。

3 相手を納得させる論理構成の力をつけよう

自分の検討結果を、論理的に相手に説明するための論理構成を練習してみよう。

問題

アルファ銀行各支店では、本年上期、顧客サービスの強化運動に取り組んでいる（本部通達参照）。あなたは、この運動の六本木支店のリーダーだ。

このほど支店では、運動の一環として、『顧客対応サービスの達人から学ぶ』というテーマで店内講演会を行うことになり、スピーカーの選定に関して、支店長から次のような指示があった。

「スピーカーを呼んで、新人の預金係でも理解できるようなわかりやすい内容を1時間程度話してもらい、その後ちょっとした質疑応答ができればいいね。仮にコストがかかるとしても5万円以内。この運動に関しては、確か本部通達が出ていたと思うので、念のためにそれも参照して欲しい。やはりみんなが興味を持てる人がいいね。実施日程は、先方の予定もあるので、候補を決めてから先方と相談しよう」

また、「大げさに構えることはないよ。例えば、この前のビデオ社内報で紹介された、三本木支店の朝日さんなんかもよいのでは？　面白い人だし、顔見知りなので、必要があれば声をかけるから言ってくれ」とのことだった。

調べたところ3人の候補が浮上し、この中から1人を選定することを支店長と合意した。そこで、あなたは、誰に講演を依頼するかを決め、その結果を支店長に報告し、承諾を得ようと考えている。報告の内容を論理パターンで構成してみよう。なお、参考資料として、以下のものがある。

・資料1：本部通達
・資料2〜4：3人の候補者のプロフィール

資料１：本部通達

本部通達第12-12

平成13年○月×日

支店長各位

本部営業業務部
部長　○○○○

「顧客対応サービスの強化」運動の推進のお願い

　金融業界では、コールセンターやネットバンキングなど、伝統的な店舗に代わる、新たな販売チャネルが注目されています。しかし、海外の先進事例からは、顧客は、商品性が複雑になればなるほど、初期の情報収集はオフラインの新チャネルを利用するが、詳細な情報収集や最終的な購入決定は伝統的な対人チャネルで行う、との報告がなされています。つまり、支店での適切な顧客対応やサービス強化が一層重要になっています。

　そこで、平成13年度上期に、各支店ごとに「顧客対応サービスの強化」運動を以下のように推進していただくよう、お願いいたします。

●狙い

　ベテランから新入行員に至るまで、支店の全員が、お客様の問い合わせに正確・迅速に回答できるのはもちろんのこと、真の顧客ニーズを汲み取り、それに応える提案や選択肢の提示を積極的に行える、一流のサービスマン、サービスレディになること。

　旧来の銀行の枠にとらわれることなく、さまざまな業界のベストプラクティスにも目を向けて、サービスマインドを醸成する。

●実施期間

　平成13年４月～９月

●実施方法

　①各支店ごとに、推進リーダーを決めて、店舗の状況に合わせて自由にプログラムを進められたい。

　②プログラム例としては、以下のものを参照されたい。

　　……

　　……

以上

資料２：候補者１のプロフィール

アルファ銀行三本木支店　朝日太郎氏

略歴　1962年４月　アルファ銀行入行。
　　　1995年５月　アルファ銀行退職。
　　　1995年６月　アルファ人材サービスの登録職員として、アルファ銀行三本木支店にて店頭案内係に着任し、現在に至る。

■ この５年間余に、三本木支店にお客様から寄せられた、朝日氏へのお褒めのことばは65件にものぼる。ATMコーナーでのお客様への親切、丁寧なご案内、気持ちのよいご挨拶が評判で、具体的には次のような声が寄せられている。
　・元気な挨拶をしてくれて大変気持ちがよい。
　・たびたび利用するが、「いつもありがとうございます」ということばを常にかけてくれる。「自分の銀行」という気がして大変親しみをもてる。
　・子供がちょろちょろしていると、大変上手にあやして面倒を見てくれるので、その間安心してATMの操作ができ、大変助かる。
　・伝票記入でわからないことがあって質問すると、丁寧かつ正確に教えてくれて助かる。

■ 1999年７月に三本木ハッピー商店街が利用顧客を対象に主催した「気持ちのよいサービスナンバーワン」投票にて、見事第１位に輝く。

■ 2001年３月にアルファ銀行テレビ社内報「サービスの鉄人」コーナーで紹介される。朝日氏の勤務風景とともに、「長年、アルファ銀行勤務で培った銀行マンとしての知識をフル活用し、１人でも多くのお客様に気持ちよく、安心してご利用いただけるよう、元気よくご案内をするのが私のモットー」とのコメントが紹介された。

資料3：候補者2のプロフィール

ホテル・インターナショナル顧問（接客サービス担当）　桜京介氏

氏の著作『サービスのこころ』より筆者略歴と近況の抜粋

　1935年　東京生まれ。
　1958年　ホテル・インターナショナル入社。ベルボーイを振り出しに、予約係、コンシェルジェ、宴会係等を担当。1978年より接客サービス部長を務め、1990年より現職、現在に至る。
　　　　　接客サービス部長着任の1978年より、全社で「サービス日本一運動」を展開、その陣頭指揮に当たった。

◇3度の満足を与える"サービスのこころ"
　・目前のご要望に応える。
　・隠れたご要望に応える。
　・"また来たい"と思わせる。
という"サービスのこころ"3箇条を掲げ、その具体化のための小集団活動を毎年徹底実行。各業務ごとに小集団活動の成果を体系化し、マニュアル作り、ならびに、データベース化を進めた。

■　1981年には、フューチャー誌の「世界のビジネスマンが選ぶホテル100選・サービス部門ランキング」で、ホテル・インターナショナルが見事第1位に輝き、以来その地位は不動。

■　"サービスのこころ"はホテル以外の、あらゆるビジネスに通じる、というのが氏の持論。現職に就いて以来、ホテル・インターナショナルではもちろん、"サービスのこころ"を広めることを自らの使命として、"サービスのこころ"の普及にボランティア的に取り組んでいる。さまざまな業種・企業の、経営層、管理職、あるいは一般社員まで、幅広い層を対象に講演を行い、ホテルマンとしての長年の体験に基づく現場感覚溢れる内容は、大変具体的でわかりやすいとの定評がある。

■　共著に『サービスのこころを語る』（ITビジネス、小売り、自動車、観光業など、7つの業界トップとのサービスをめぐる対談集）がある。

資料4：候補者3のプロフィール

サービス・インストラクター　日光波子氏

「日光波子サービス・コンサルティング」のホームページより。

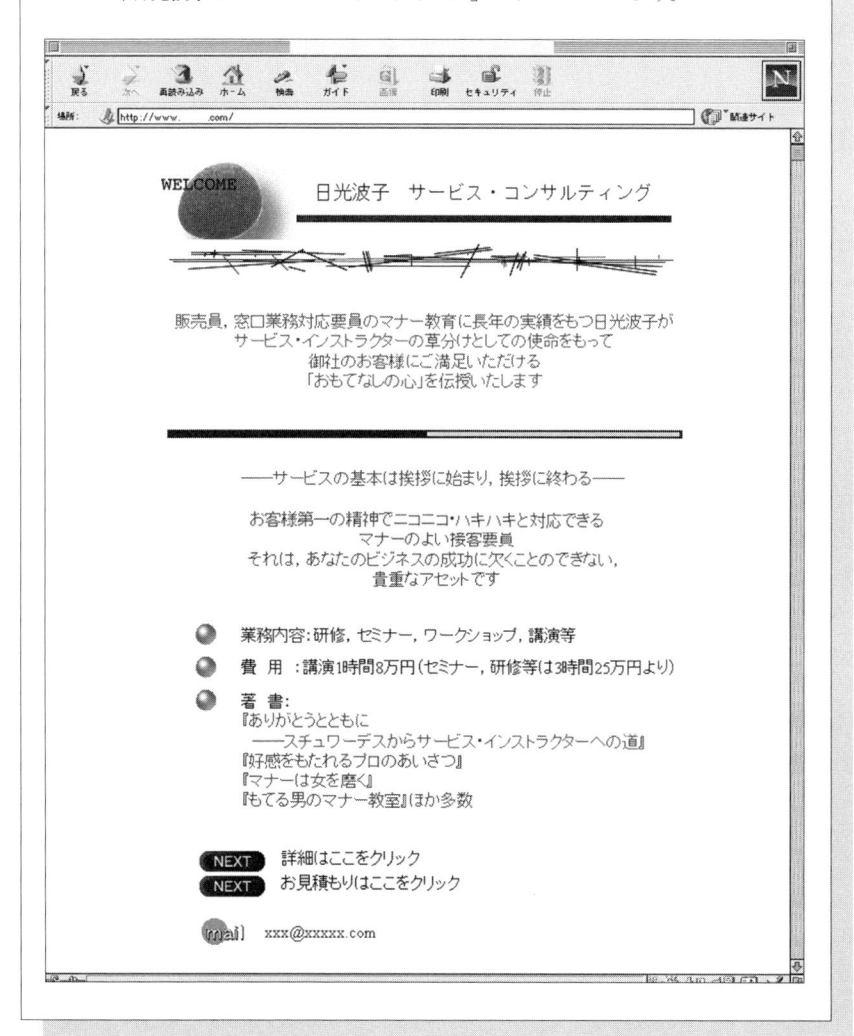

WELCOME　日光波子　サービス・コンサルティング

販売員，窓口業務対応要員のマナー教育に長年の実績をもつ日光波子が
サービス・インストラクターの草分けとしての使命をもって
御社のお客様にご満足いただける
「おもてなしの心」を伝授いたします

——サービスの基本は挨拶に始まり，挨拶に終わる——

お客様第一の精神でニコニコ・ハキハキと対応できる
マナーのよい接客要員
それは，あなたのビジネスの成功に欠くことのできない，
貴重なアセットです

● 業務内容：研修，セミナー，ワークショップ，講演等
● 費　用：講演1時間8万円(セミナー，研修等は3時間25万円より)
● 著　書：
　『ありがとうとともに
　　　——スチュワーデスからサービス・インストラクターへの道』
　『好感をもたれるプロのあいさつ』
　『マナーは女を磨く』
　『もてる男のマナー教室』ほか多数

NEXT　詳細はここをクリック
NEXT　お見積もりはここをクリック
mail　xxx@xxxxx.com

ヒント1 課題は「3人の候補者のうちの誰に、店内講演会のスピーチを依頼するか」だ。この課題と問題文の設定から、上司への説明に用いる論理パターンは、いくつかの代替案から最も望ましい選択肢を選び、その妥当性を説明する解説型になる（第6章の図6-8と同様の方法解説型）。以下の論理パターンを使って、空欄を埋めていこう。

ヒント2 「事実」としては、3人のプロフィールを提示すればよい。では、「判断基準」は何になるのか？ 支店長の指示から、4つの基準が設定されるはずだ。本部通達からも基準が導かれる。

ヒント3 設定した判断基準で各候補者を評価してみると、「誰が最適」と判断されるのか？ あなたが最適だと思う候補者についてだけでなく、すべての候補者について、個々の基準に照らした判断の内容を整理する。そうでないと、支店長があなたと異なる考えを持っている場合、なかなか説得されないからだ。

ヒント4 結論として、誰に講演を依頼すべきか？ また、「事実→判断基準→判断内容」という流れで根拠を見たときに、一貫性をもって結論を支えているかどうかをチェックする。

解答用紙

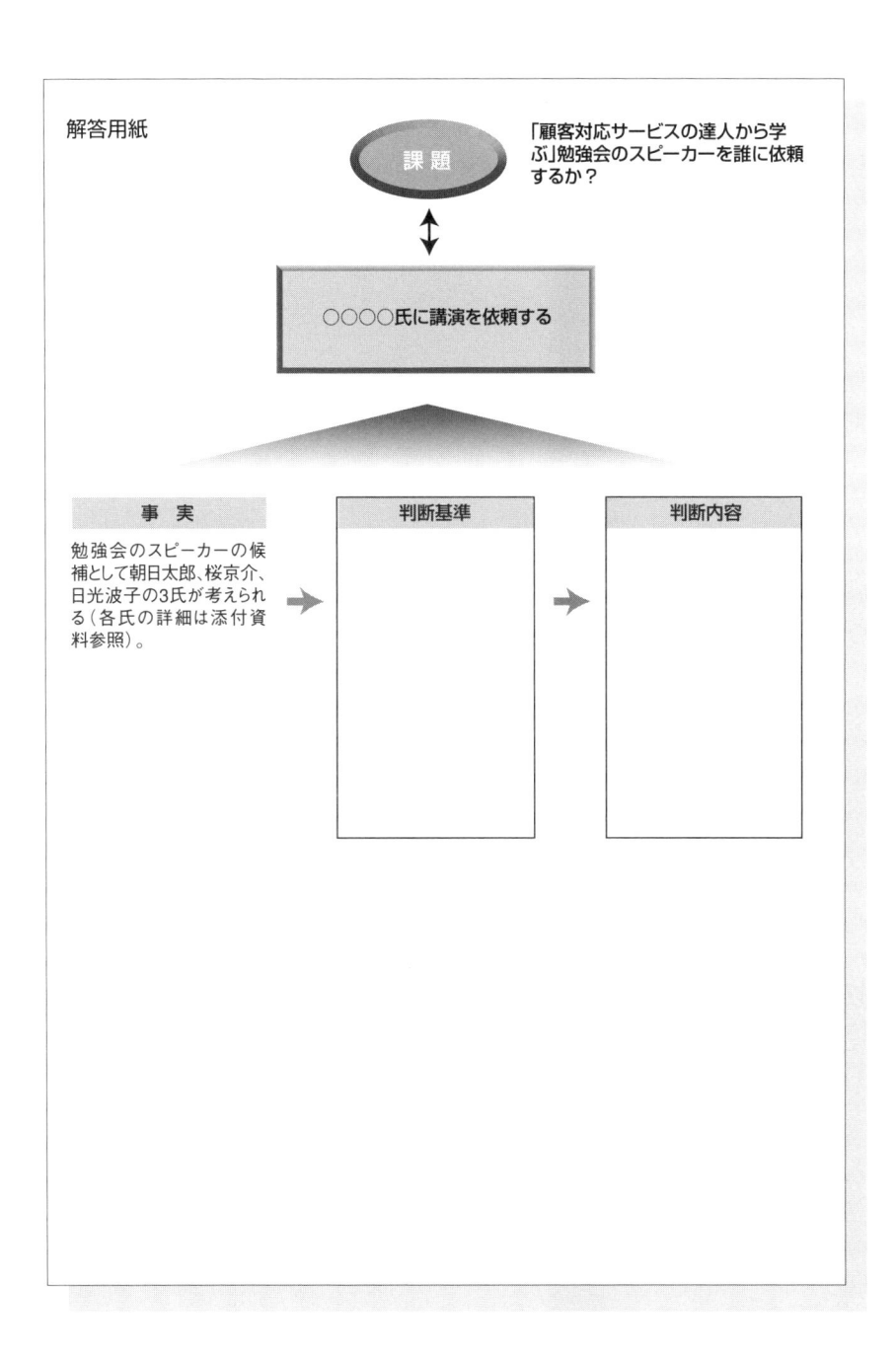

課題：「顧客対応サービスの達人から学ぶ」勉強会のスピーカーを誰に依頼するか？

○○○○氏に講演を依頼する

事 実

勉強会のスピーカーの候補として朝日太郎、桜京介、日光波子の3氏が考えられる（各氏の詳細は添付資料参照）。

判断基準

判断内容

| Logical Communication Skill Training | おわりに |

　筆者2人がロジカル・コミュニケーションの領域に取り組むようになったのは、それぞれ雑誌・書籍の企画編集、企業内の社内広報（経営広報）の企画・運営に携わった後、経営コンサルティングのマッキンゼー・アンド・カンパニーで「エディティング」という仕事に出会ったからである。

　この耳慣れない"エディティング"とは何か。エディティングの対象は、例えばコンサルティングの報告書、顧客への商品説明のプレゼンテーションの内容、企業がホームページに載せる事業や業績内容、雑誌や書籍などの原稿、あるいはビジネスレターに至るまで、多種多様だ。

　これらのメッセージの伝え手（書き手・話し手）が所期の目的を達成できるよう、私達は疑似読者・疑似聴衆として伝え手が用意した中身を、聞いたり、読んだりする。そして、この中身で本来の受け手は「なるほどそうか」と納得できるか、もし納得できないのであれば「どこをどう改善すればよいのか」という視点から、メッセージの論理構成から日本語の表現まで、アドバイスや具体的な改善案を提供する。

　コミュニケーションの相手に自分のメッセージを理解してもらい、納得してもらう上での落とし穴、これは当事者の伝え手にはなかなか見えてこないものだ。与件のない第三者が客観的に検証することによって、何がどうなっているからわかりにくいのか、どう変えると相手が「なるほど」と納得できるものになるのか、の糸口が浮かび上がる。そこで、第三者の立場から、伝え手とディスカッションしたり、受け手の視点で眺めることにより、より効果的なメッセージを組み立ててサポートするのがエディティング・サービスだ。伝え手がコミュニケーションの目的を達成する上での触媒のような存在

とでも言えようか。

　このような意味での極めてニッチなエディティングに筆者2人はそれぞれ10年近く携わっている。その中で、論理的でわかりやすいメッセージには、領域やテーマを問わず、一定の法則性やポイントがあることが見えてきた。ここにご紹介した論理的に考え、構成する技術は、それらの法則性と2人が蓄積したエディティングの手法を重ね合わせ、体系化したものだ。自分が書いたもの、話す内容のわかりやすさや論理性を、自分でチェックし、改善できること——すなわちセルフ・エディティングは、優れたコミュニケーターになるために不可欠だが、それには道具が必要だ。本書がセルフ・エディティングの手引きとなれば誠に嬉しい。

　また、この技術は出自はビジネスだが、学習や研究の場ではもちろん、日々の生活や人生にも大いに役立つというのが筆者2人の実感である。生きることは多くの場合悩み深いものだし、岐路に立って右か左かと選択を迫られることも多い。そのようなときに煮詰まった頭の中をちょっとMECEに整理してみる、あるいは自分の生活や人生で譲れないものは何か、それに照らして目の前のいくつかの選択肢に優先順位をつけるとどうなるか整理してみる。少々大げさな表現を許してもらえるなら、人生をセルフ・エディティングする道具としてもお役に立つのではないかと思う。

　この本は、たくさんの方々のお力をいただき、このように形にすることができた。

　ロジカル・コミュニケーションの手法を開発し研修を行う中で出会った、さまざまなビジネスの最前線で活躍するビジネス・パーソンの皆様には、コミュニケーションに関する率直な問題意識や悩み、また実践という見地からかけがえのない指摘や提案を多々いただいた。その一つ一つが執筆の原動力、励みとなった。

　また、マッキンゼー・アンド・カンパニーとそのスタッフ、既に同社を卒業された方々には、「エディティング」というユニークな仕事に出会い、従事する機会を与えていただいた。中でも、日本支社長の平野正雄氏、エディ

ティング・サービスのスーパーバイザーである門永宗之助氏、本という形にする道を拓いて下さった本田桂子氏には出版を大きく後押ししていただいた。また特に、現株式会社ニフコ副社長の千種忠昭氏は、元マッキンゼー社のディレクターで、エディティング・サービスを日本支社で立ち上げた生みの親であり、サービスに携わる上で大きなサポートをいただいた。朝日新聞編集委員を経て、私達の先達としてエディティング・サービスの草創期に尽力された刀祢館正久氏からも、常に多くのアドバイスと励ましを頂戴してきた。

そして、東洋経済新報社出版局の小島信一氏、水野一誠氏には、企画段階から進行管理に至るまでひとかたならぬお世話になった。

皆様に心から御礼を申し上げる。

最後に、この本の執筆は家族によって支えられたところが大きい。本書の内容は、ささやかな自主プロジェクトとして議論や実験を積み重ねてまとめてきた。試行錯誤の中で行き詰まることも少なくなかったが、終始、寛容なる精神をもち、この活動の一番の理解者であったそれぞれのパートナーに、心からの感謝を捧げたい。

2001年3月

照屋華子
岡田恵子

著者紹介

照屋 華子（てるや はなこ）
　東京大学文学部社会学科卒業．(株)伊勢丹業務部広報担当を経て，1991年，経営コンサルティング会社マッキンゼー・アンド・カンパニーにコミュニケーション・スペシャリストとして入社．現在，同社と嘱託契約にて，顧客企業へのコンサルティング・レポートや提案書，記事等，さまざまなビジネス・ドキュメントを対象に，論理構成と日本語表現の観点からアドバイスを提供するエディティング・サービスに従事．また，論理構成をはじめ，ビジネス・ライティング，口頭説明についての多数のトレーニングを顧客企業やコンサルタントを対象に実施するとともに，ロジカル・コミュニケーションの手法の開発や論文執筆に関するエディティング等にも取り組んでいる．

岡田 恵子（おかだ けいこ）
　慶應義塾大学法学部法律学科卒業．(株)日本交通公社出版事業局を経て，1989年，経営コンサルティング会社マッキンゼー・アンド・カンパニーに入社．コミュニケーション・スペシャリストとして，顧客企業向けコンサルティング・レポートの論理構成や表現に関するエディティング・サービスやコミュニケーション戦略の立案・実施支援に従事．また，コンサルタントや顧客企業への論理構成のトレーニング等に携わる．1998年に独立．現在，マッキンゼー社をはじめとする企業への各種コミュニケーション・サービスの企画・提供，研修プログラムの開発・実施，論文や書籍の執筆サポート，取材・編集業務等を行っている．

ロジカル・シンキング

2001年5月8日　第1刷発行
2025年2月20日　第61刷発行

著　者　照屋華子／岡田恵子
発行者　山田徹也

〒103-8345
発行所　東京都中央区日本橋本石町1-2-1　東洋経済新報社
　　　　電話　東洋経済コールセンター03(6386)1040

印刷・製本　日経印刷

本書のコピー，スキャン，デジタル化等の無断複製は，著作権法上での例外である私的利用を除き禁じられています．本書を代行業者等の第三者に依頼してコピー，スキャンやデジタル化することは，たとえ個人や家庭内での利用であっても一切認められておりません．
©2001〈検印省略〉落丁・乱丁本はお取替えいたします．
Printed in Japan　ISBN978-4-492-53112-9　　https://toyokeizai.net/

LOGICAL COMMUNICATION SKILL TRAINING

ロジカル・ライティング
論理的にわかりやすく書くスキル

論理思考ブームを
作ったベストセラー
『ロジカル・シンキング』
の著者による
待望の第二弾

照屋華子 [著]
定価（本体2200円＋税）

[あなたは読み手に「解読」を
 迫っていませんか？]

「ロジカル・シンキング」実践編！
マッキンゼーのエディターとして活躍している著者が
論理的・視覚的に誰にでもスッキリと
わかってもらえるビジネス文書作成の技法を紹介

東洋経済新報社